RESERVETIJD

Rita Falk

Reservetijd

Vertaald door Pieter Streutker

LEMNISCAAT

Vandaag is er een jaar voorbij. Op deze dag en om deze tijd is het gebeurd. Het is een jaar geleden, mijn vriend. Mijn beste vriend Maxim. Precies op dit moment kniel ik in je bloed en je pies; je hoofd rust op het koude asfalt, een eeuwigheid lijkt het. Ik zie het blauwe licht en hoor de sirenes. Mensen om ons heen. Uiteindelijk de trauma-helikopter. 'Verdomme,' klinkt zacht uit je bloedende mond. Daarna sluit je je ogen, maar niet helemaal, een klein spleetje blijft open. Ik buig me diep over je heen en zie je oogbollen. Opeens zijn er handen die aan me trekken. Andere grijpen naar je levenloze lichaam. Je bloed stroomt langzaam in de goot en neemt mijn hart mee.

Van de weken daarna herinner ik me bijna niets. Een bonkende pijn drukte loodzwaar op me. Toen ben ik je gaan schrijven, Max. Ik heb mijn leven voor je opgeschreven en dat heeft me geholpen niet gek te worden. Veel had ik je graag bespaard, man. Maar soms trilden mijn vingers bij elk woord van geluk. Nu is het tijd om afstand te doen van de brieven. Dankbaar geef ik ze door. Ze hebben mijn leven gered.

Ik moet dit opschrijven, omdat ik er met niemand over kan praten. Ik schrijf uit woede en teleurstelling. Een verschrikkelijke, gestoorde woede, Max, dat kan ik je vertellen. Als ze je nou eerst maar eens uit het verband halen, dacht ik, wordt alles weer zoals vroeger. Dan sta je op van je bed als een feniks die uit zijn as verrijst, en lopen we samen door de gangen, rechtstreeks naar de uitgang. Maar dat is niet gebeurd. Er is helemaal niets gebeurd. Je ligt daar nog precies hetzelfde en beweegt zelfs geen kleine teen. Je ligt daar met al je slangen en apparaten en verroert je niet. Je bent niet dood en niet levend, geen eb en geen vloed, gewoon zoek tussen de getijden. En ik zit op de vensterbank in je ziekenhuiskamer naar de oude kastanje te kijken. Ik ben zo kwaad op je dat ik je niet meer wil zien. Ik ben al twee dagen niet bij je op bezoek geweest (dat heb je vast niet gemerkt) en ik kwam zelfs de deur niet uit.

Na urenlange woede en teleurstelling slaat plotseling alles om. De woede verplaatst zich van jou naar mij. Langzaam wordt me duidelijk dat mijn teleurstelling niet jouw schuld is. Het was naïef van me om te denken dat alles oké zou zijn als eerst het verband er maar af was. Alsof dat je belette je ogen open te doen of iets te zeggen. Wat stom van me! Ik voel me echt een idioot en daar word ik niet vrolijk van.

Ik ben dus een paar dagen niet bij je geweest, Max, en ik heb gemerkt dat het dan nog erger is. Als ik thuis rondhang en me suf pieker, gaat het nog veel slechter met me. Dan zit ik liever op je vensterbank naar de kastanje te kijken. Naar de kastanje te kijken en op een wonder te hopen. Want langzamerhand begrijp ik dat er echt een wonder nodig is om je weer tot leven te wekken. Ik kan je niet helpen en kan er met niemand over praten, omdat ik steeds beweer dat alles goed komt. Dat het beter gaat omdat je een vechter bent. Dat het beter gaat omdat het verband eraf is. Ik vertel dat je vooruitgaat terwijl ik merk dat het niet zo is. Het is om misselijk van te worden. Dit geschrijf bevalt me goed. Ik kan mijn woede afreageren zonder iemand te kwetsen. Misschien zou ik gewoon alles moeten opschrijven. Zodat je het weet als je wakker wordt, Max. Er schijnen comapatiënten te zijn geweest die ontwaakten en geen idee hadden wat er was gebeurd. Maar als ik het opschrijf en jij het later leest, ben je op de hoogte. Ik zal erover denken, ik zie wel. Net heb ik trouwens nog even met je moeder gebeld. Maar ik verstond er jammer genoeg niets van, omdat ze weer zo moest huilen.

Later: heb net naar *Tatort* gekeken en een pizza gegeten. Allebei niet zo geweldig. Eigenlijk heb ik er niets van meegekregen, omdat ik aan jou dacht, Max. Omdat ik denk aan hoe het zal zijn als je terug bent. Hoe het zal zijn als we weer bij elkaar zitten – Peter, Rick, Justin en wij tweeën. Als we naar het ijshockeystadion gaan om een

waardeloze wedstrijd te zien. Of naar het grindgat om stenen over het water te keilen. Als we nachtenlang plannen
maken voor onze vakantie en het niet eens worden. Uiteindelijk toch weer naar Spanje gaan en daar voor de zoveelste keer besluiten om volgend jaar echt iets anders te
gaan doen. Als we bij Sullivan's een paar biertjes achter-
overslaan. Dat wordt fijn, man. Maar daar is weinig kans
op. Het ziet er beroerd uit. Ik zeg dat omdat we nog nooit
tegen elkaar hebben gelogen – waarom zouden we er dan
nu mee beginnen? Het is 26 maart vandaag en al meer dan
zes weken geleden dat je in coma raakte. Ik heb besloten
alles voor je op te schrijven. Zodat je het weet als je wakker wordt, Max. Ja, dat ga ik doen. En morgen kom ik
weer naar je toe. Vóór mijn werk, want morgen draai ik
mijn eerste nachtdienst.

Eigenlijk vind ik het best raar, zo alleen met die gekken, maar het is vast rustiger. Ik heb nu de eerste weken
vervangende dienstplicht achter de rug en geloof me, de
stomme grappen die we er van tevoren over maakten
zaten er niet ver naast. De patiënten of bewoners of hoe
je ze ook wilt noemen, heten in het reglement van het tehuis 'psychisch labiele personen'. Het reglement is hier
het allerbelangrijkste. De enige non, zuster Walrika (klein,
dik, een stem als een misthoorn en een tong als een adder,
echt waar), let scherp op of iedereen zich precies aan de
regels houdt. De twee schoonmaaksters zijn de hele dag
aan het boenen en poetsen, maar Walrika vindt altijd wel
ergens een stofje. Net een sergeant. Vroeger was het tehuis
een kleuterschool, het Kabouterbosje. Werd zeker te klein
of ouderwets, ik zou niet weten. De kinderen kregen iets
nieuws en het tehuis kwam erin. Ik noem het gewoon de

Rarevogels (je kunt zelf wel bedenken waarom). Een paar dagen geleden zag Walrika in het keukentje het rooster waarop ik mijn werktijden schrijf; er staat met grote letters RAREVOGELS op. Dat moest ik uitleggen, en ze klonk niet erg vriendelijk, kan ik wel zeggen. Maar vreemd genoeg werd ze niet razend toen ze mijn antwoord hoorde. Ze geloofde dat ik het niet rot bedoelde, en vond het daarom niet zo erg. Ik mocht het alleen niet tegen de anderen zeggen. Dat heb ik ook niet gedaan, ik zweer het je. Toch zeggen ze het nu allemaal, het personeel en de bewoners, en iedereen lacht erbij. Bizar hè? Dus zoals ik al zei, morgen is mijn allereerste nachtdienst en ze hebben me verteld dat het dan meestal vrij rustig is. Ik moet iets te lezen meenemen en vooral niet in slaap vallen. De nachtdienst begint om zeven uur na het avondeten en eindigt om zeven uur na het ontbijt. Zal dus morgen zo rond vijven nog eens bij je langsgaan en – wie weet – misschien is er dan wel een wonder gebeurd.

Tot morgen,
Niels

Dinsdag, 28 maart

Was gisteren natuurlijk bij je, zoals beloofd. Je moeder was er ook. Deze keer huilde ze niet. Toen ik zachtjes de kamer binnenkwam, sprong ze op van haar stoel, zodat die naar achter viel en met een harde klap op de grond terechtkwam. Heel opgewonden (om niet te zeggen hysterisch) vertelde ze dat je had gereageerd. Waarop, dat zei ze niet. Ze bleef maar herhalen dat je had gereageerd en ze was dolblij. Ik kwam dichterbij om naar je te kijken, maar zag geen verandering. Je was net zo bleek als anders en je open mond hing slap boven je kin. Je onderlip, waarop een slang drukte, puilde naar buiten en stak uit, alsof hij niet bij je hoorde. Je ogen zaten zoals gewoonlijk niet helemaal dicht – een klein spleetje blijft open en als ik buk, kan ik je oogbollen zien. Dat is geen fijn gezicht, man. Maar je reageerde niet, nergens op. Althans niet waar ik bij was. En laten we eerlijk zijn, Max, als je niet reageert op de herrie van die stoel, waarop dan wel? Heb je moeder vervolgens naar de kantine beneden gestuurd en gezegd dat ze maar lekker een kopje koffie moest gaan drinken om een beetje te ontspannen. Dat deed ze. Ze zag er veel beter uit dan de laatste tijd en had rode wangen van opwinding. Die was dus toch nog ergens goed voor. Toen ze weg was, ging ik op de rand van je bed zitten om je de sportpagina's uit de krant voor te lezen. Ook de uitslagen van de ijshockey-wedstrijden van gisteren, maar zelfs daarop reageerde je niet. Daarna tilde ik je hand omhoog en liet hem los. Hij viel als een baksteen op de deken. Hoezo reactie? Als ik eraan denk hoe moeilijk ik het altijd tegen je had met armpje drukken. En nu valt je arm slap terug op bed, zonder enig verzet. Jee, Max. Daarna ging ik verder met de sportberichten. Op een gegeven moment kwam je moeder terug en zei dat ik eens iets poëtisch moest voorlezen: Schiller of Goethe, in elk geval iets moois, niet de ijshockeyuitslagen. Maar ik moest dringend naar mijn werk, was toch al laat.

Mijn eerste nachtdienst was inderdaad rustig. Er gebeurde bijna niets waarvoor Walrika me niet had gewaarschuwd.

Ja, die kent haar klantjes. Mevrouw Stemmerle werd rond halfdrie wakker en belde. Toen ik bij haar kwam, vroeg ze of ik wilde kijken of haar kleindochter in de kamer was. Je moet altijd heel hard tegen haar praten, want ze hoort slecht, en je kunt haar nauwelijks verstaan omdat haar gebit 's nachts in een glas staat. Nadat ik haar eindelijk duidelijk had gemaakt dat er niemand anders in de kamer was, zei ze dat ze Jasmin had gedood (dat is haar kleindochter, denk ik). Ze trilde over haar hele lijf en haar rimpelige handen waren ijskoud. Ik heb ze gemasseerd, heel zachtjes, tot mijn linkervoet begon te slapen (ik zat op de rand van haar bed). Toen ik opstond, was ze heel rustig geworden. Ik was er eerlijk gezegd niet helemaal zeker van of ze alleen tot het ontbijt of voor altijd in slaap was gesukkeld, en luisterde even met mijn oor bij haar mond. Maar ze ademde nog. Dat was het voor die nacht.

's Ochtends heb ik Walrika nog geholpen het ontbijt klaar te maken en daarna moest ik de bewoners (Walrika noemt ze 'gasten', en ik kijk wel uit om het tegen haar over 'bewoners' te hebben) – dus de gasten wekken en ze naar de ontbijtzaal sturen of zo nodig brengen. Ik zal je één ding zeggen: dat was de moeilijkste opgave tot nog toe. Je zou denken, ze gaan rond negen uur, halftien naar bed, zijn uitgeslapen en komen 's morgens vlot op gang. Nee hoor, helemaal niet! Je moet rukken en trekken en bidden en smeken – ha – een gekkenhuis! Natuurlijk niet bij iedereen. Een paar bewoners, om precies te zijn twee, zitten allang, heel lang, fris gewassen en topfit aan de ontbijttafel en kunnen haast niet wachten tot wij met de serveerwagens komen aanrollen. Maar alle anderen verschansen zich onder de wol alsof we ze komen halen om ze naar het schavot te brengen. Zo zie je maar, met de grappen die we van tevoren over mijn werk maakten hebben we het onderwerp nog lang niet uitgeput, en ik vind hier prima stof voor nieuwe. Ik ga nu pitten, zodat ik vanavond fit ben, om weer mijn witte jasje aan te schieten – dat me trouwens uitstekend staat en waarmee ik veel gezag uitstraal.

Vrijdag, 31 maart

Hé, Max, de lente begint en jij ligt daar maar zonder je te bewegen. Toen ik vanochtend vroeg naar huis fietste, rook het al overal naar lente. En je weet, als het eenmaal lente is, dan is ook de zomer niet ver weg. Dat zou voor mij de eerste zomer in eenentwintig jaar zonder jou zijn. Het zweet breekt me uit.

Ik redde het gisteren niet meer om naar je toe te gaan, had me verslapen. Heb toen vanaf de Rarevogels naar je huis gebeld in de hoop dat je vader zou opnemen. Maar dat gebeurde niet. En toen ik de huilerige stem van je moeder hoorde, hing ik op, sorry. Maar dat heeft dan toch geen zin, omdat ik haar niet versta, snap je?

Op het werk was alles rustig, maar één ding moet ik je vertellen: we hebben daar zo'n klein balkonnetje op de eerste verdieping, vlak naast de keuken, en daar ga ik weleens stiekem een sigaretje roken. Ik doe heel stil zodat niemand me hoort, ga in de hoek staan zodat niemand me ziet, en doe de deur dicht zodat niemand me ruikt. Maar gisteren stond opeens, als uit het niets, Walrika naast me op het balkon. Het scheelde een haar of ik had mijn sigaret ingeslikt, alleen maar om niet op mijn kop te krijgen (in het reglement van het tehuis staat dat 'roken op het hele terrein van het tehuis, dus ook buiten het gebouw, streng verboden is'). Ze kijkt me lang en rustig aan, en mijn sigaret smeult natuurlijk verder. Ik durf geen trekje meer te nemen of de sigaret weg te gooien, en op een gegeven moment brandt hij tussen mijn vingertoppen. Na een eeuwigheid vraagt ze: 'Doet het pijn?' Ik knik en zij zegt: 'Waarom doof je hem dan in godsnaam niet in de asbak, Niels?'

'Omdat roken op het hele terrein van het tehuis, dus ook buiten het gebouw, streng verboden is,' zeg ik. En, hou je vast, van onder haar habijt haalt ze een pakje sigaretten tevoorschijn, en ze zegt: 'Dat geldt alleen voor onze gasten. We willen toch niet dat ze zichzelf of ons in gevaar brengen, hè?' Ze schuift met haar lage zwarte veterschoen een asbakje achter de deur vandaan, dat daar onopvallend op de grond staat. Daarna rookt ze een sigaret, weliswaar half, maar dat telt ook. Toen we weer naar binnen gingen, zei ze zonder me aan te kijken: 'Maar verder heb ik geen slechte gewoonten!' Ongelooflijk vond ik dat: zo'n dik nonnetje met een enorm kruis om haar nek dat gezellig een sigaretje staat te paffen. Dat verzin je toch niet.

Zeg, Max, ik kwam Sonja Kiermeier tegen, je weet wel, die we allemaal graag een keer hadden versierd, maar alleen Justin lukte het. Nou ja. Ze studeert nu medicijnen. Ik heb haar over je ongeluk verteld en ze wilde het allemaal heel precies weten. Ze schudde haar hoofd en zei dat het er slecht uitziet als het nu al bijna zeven weken duurt. De meeste comapatiënten komen snel bij, of nooit meer, zei ze. Natuurlijk zit ze pas in het tweede semester, maar je moet zo langzamerhand wel opschieten, Max. Je hebt niet veel tijd meer. Voor vandaag zet ik er een punt achter, ik ben hondsmoe. Morgen kom ik zeker bij je langs, ik heb de wekker gezet.

Zondag, 2 april

Dag Maxim,
Zondag is mijn vaste uitslaapdag en het is nu halftwee 's middags. Ik heb in bed ontbeten en lig er nog steeds in om je over de afgelopen dagen te schrijven. Ik denk dat ik vanavond pas onder de douche ga en daarna naar het ijshockeystadion rijd. Vandaag komen de Polar Bears en als ze weer verliezen is het misschien wel de laatste wedstrijd van dit seizoen. Man, ik had je er zo graag bij gehad.

Ik was dus gisteren bij je, en alles was nog hetzelfde, op je moeder na. Haar rode konen zijn weer verdwenen en ze huilt ook niet meer. Ze stond lang op de gang met die dokter met die snor, ik zag ze door het kleine raampje in de deur van je kamer. Ze leek een beetje onzeker toen ze hem aansprak, en toen ze terugkwam was het niet veel beter. Ik stond op van de rand van je bed om plaats voor haar te maken, maar ze zei: 'Blijf maar zitten, Niels.' Daarna pakte ze haar tas en jas en vertrok. Zonder nog iets te zeggen. Dat was wel raar.

Ik las je de brief voor tot waar ik was gekomen. Het zijn mijn gedachten, die ik je tot nog toe mijn hele leven lang heb verteld, Max, en dat mis ik het meest. Ons dagelijks geouwehoer. Over niets. Over koetjes en kalfjes. Jij was mijn dagboek en ik het jouwe. Nu schrijf ik het gewoon op, zodat je later weet wat er is gebeurd in de tijd dat je lag te slapen. Nou ja, ik zat je dus voor te lezen op de rand van je bed. Maar je reageerde niet.

Na een tijdje kwam Nele. We zitten allebei bijna elke dag bij je, maar vreemd genoeg waren we elkaar nog nooit tegengekomen. Ze kwam binnen, keek me aan en stormde zonder waarschuwing met gebalde vuisten op me af. Ze hamerde als een gek op mijn borstkas en schreeuwde aan één stuk door: 'Jullie ook met je stomme motoren! Jullie ook met je stomme motoren...' Dat was helemaal niet leuk. Ik kon haar handen niet te pakken krijgen. Ze gilde als een speenvarken, maar jij reageerde weer niet. Gelukkig kwam op een gegeven moment dokter Snor binnen, die haar van me af haalde. Ze liep nog even naar je toe en gaf je een kus op je voorhoofd. Daarna ging ze weg. Geloof me, Max, ik had graag iets aardigs tegen haar gezegd om haar te troosten, maar ik kreeg de kans niet. We waren heel stil toen ze weg was. Jij natuurlijk sowieso en ik had ook geen zin meer om iets te zeggen. Toen ging ik maar weg.

Verdomme, ik zag je toch de hele tijd in mijn achter-uitkijkspiegel. En plotseling, in die oneindig lange bocht langs die oneindig hoge muur, was ik je zomaar kwijt. Ik reed nog een stukje door, grinnikend, dat geef ik toe, want ik dacht dat je in die bocht gas terug had genomen. Ten slotte keerde ik en... verdomme! Verdomme, Max!

Op de terugweg uit het ziekenhuis ben ik nog even een biertje gaan drinken bij Sullivan's. Rick, Peter en Justin waren er ook, en er trad een liveband op. Het was druk en lawaaiig, zoals elke zaterdag, maar mij was het te druk en te lawaaiig. Dus ben ik naar huis gegaan en – wat denk je? – tegen mijn voordeur leunt Nele, in het licht van een lantaarnpaal. Ze stond me op te wachten. En weet je wat er toen gebeurde, Max? Ik zei: 'Donder op!' en liep gewoon langs haar heen naar binnen. Daar stond ze, betraand en doorweekt (het had geregend), en ik liet haar gewoon staan! En weet je waarom? Omdat in de loop van de avond tot me was doorgedrongen dat niemand van ons het recht heeft de ander iets te verwijten. We hebben namelijk allemaal evenveel verdriet. Rick, Peter, Justin, je ouders, Nele en ik. En ik weet niet wie nog meer, wij allemaal gewoon. Daar hoeft ze bij mij dus niet mee aan te komen. Ik hoop dat ze dat heeft begrepen. Morgen meer, moet nu naar het ijshockeystadion.

Maandag, 3 april

Die hufters hebben gisteren met 2-7 verloren, terwijl ze met 2-0 voor stonden. Het was dramatisch, dat wil je niet weten. Je mag echt blij zijn dat je er niet bij was. Het seizoen is voorbij, en dat is maar goed ook, vind ik. Ik heb je het wedstrijdverslag voorgelezen, maar je reageerde niet.

Ik heb nu weer dagdienst, wat vermoeiender is, maar de tijd gaat snel. Vandaag kregen we een nieuwe bewoner, Florian, een jongen van zeventien. Hij is groot en sterk en er komt geen woord uit. Zoals altijd bij een nieuwe hielden we een korte vergadering, zuster Walrika, mevrouw Redlich en wij van het verplegend personeel. Redlich is de psychologe hier, een lekker ding met lang rood haar, een beetje kattig en uit de hoogte maar helemaal niet verkeerd, geloof me. Tijdens zo'n vergadering horen we alles over de nieuweling, zodat we weten waarom hij of zij hier komt wonen. Niemand wordt geplaatst bij de Rarevogels, weet je, iedereen is hier vrijwillig. De behandeling wordt maar voor een klein deel vergoed door de verzekering, het meeste moeten de mensen zelf ophoesten. Af en toe komt er een gift binnen van een gulle gever, die hier zelf hulp heeft gekregen of van wie een familielid bij de Rarevogels heeft gewoond. (Mijn droevige salaris wordt natuurlijk door de overheid betaald en dat van Walrika door de kerk.) Er worden ook geen groepsgesprekken gehouden, gewoon omdat ze niemand willen dwingen zijn ziel binnenstebuiten te keren alleen maar omdat de rest dat ook doet. Dat vind ik goed. De bewoners kunnen hun hart uitstorten bij Psycho-Redlich of bij zuster Walrika, of ze doen het niet. Er wordt met de hele groep geknutseld en geschilderd en zo, maar het is niet verplicht. Ik denk dat ze daarom allemaal zo graag hier zijn. Dat is echt waar.

Ook ik moet toegeven dat ik hier graag ben, Max, en nu moet je niet gaan lachen. We zitten in een oud pand met veel jugendstil, en dat heeft iets. Ik weet niet, misschien een soort waardigheid die het huis teruggeeft aan de bewoners, en dat hebben ze absoluut nodig. Ik merkte het al toen mijn voorganger me inwerkte. Er loopt hier een kerel rond, Winfred. Hij lijdt aan achtervolgingswaanzin, maar daar gaat het nu niet om. We stapten zijn kamer binnen en ik zei 'Dag Freddie' tegen hem. Wat helemaal niet naar bedoeld was, ik zweer het je. Ik vind Freddie gewoon veel leuker klinken dan Winfred. Maar mijn voorganger pakte me bij mijn kraag en zei: 'Winfred heet Winfred en dat moet ook zo blijven, begrepen! Het enige wat we hier voor de mensen kunnen doen, is ze met respect behandelen. Een beetje respect doet wonderen voor hun waardigheid. Heb je dat begrepen, knuppel?' Ik knikte en wist dat hij gelijk had. Ja, hoe erg ik ook heb opgezien tegen mijn vervangende dienstplicht, ik kom hier eigenlijk best graag, waarom zou ik daarover liegen? Ik kom morgen na mijn werk naar je toe. Welterusten!

Dinsdag, 4 april

Vandaag liep ik voor het eerst sinds het ongeluk je vader tegen het lijf. Hij ziet net zo bleek als je moeder, is wat afgevallen (maar dat kan natuurlijk geen kwaad) en rook naar alcohol. Het was vroeg op de avond. We hebben een tijdje in de hal van het ziekenhuis zitten praten, natuurlijk vooral over jou. Hij ziet er heel somber uit, Max. Hij zei dat vanaf die dag alles anders is geworden, vanaf die kutdag, zei hij letterlijk. En dat jullie hond sinds die kutdag weer in de keuken poept. Precies sinds die dag, zei hij. Hij kan ook niet weten hoe het echt zit, hè? Dat jullie hond vanaf de allereerste dag 's nachts in de keuken poept. Jij en je moeder, jullie wilden dat kleine mormel per se hebben, ik weet het nog goed. Maar dat beest poepte telkens in die ellendige keuken, en je vader ging vanaf dag één tekeer. En je moeder maar huilen, hè? Ze wilde dat stomme beest met alle geweld houden, alleen voor jou. Omdat je enig kind was, moest je een hondje hebben. Toen je moeder op een ochtend de stinkende sporen van de nacht ervoor had opgeruimd, zei je vader: 'De volgende keer gaat dat beest eruit, al moet ik het eigenhandig verzuipen in de rivier!' Je moeder moest huilen en vanaf dat moment (je was een jaar of veertien, vijftien) zette jij 's ochtends de wekker en ging vóór je ouders de ondergescheten keuken in om de nachtelijke productie van je vriendje op te ruimen. Jarenlang, Max. Dat heeft wel iets nobels, moet ik toegeven. Maar ik zou graag weten of je dat voor je moeder deed of omdat je zelf iets gaf om dat kleine rotbeest. Ik zal het je vragen zo gauw het kan. In elk geval zei je vader nu dat het niets uitmaakt als dat mormel in de keuken blijft poepen, hij zou hem toch wel houden. Tenslotte zijn ze na al die jaren aan hem gewend geraakt. En als je weer bijkomt wil je hem vast en zeker zien. Misschien stopt hij dan ook weer met dat stomme poepen, zei hij.

Ik ben vandaag vroeger naar mijn werk gegaan. Ik was er al vóór het ontbijt en heb toen ook maar meegegeten. Dat doe ik na de nachtdienst altijd, maar ik heb besloten dat ik het voortaan ook voor de dagdienst ga doen. Zo bespaar ik een maaltijd, want ik hoef er niet voor te betalen, en het is nog een lekker ontbijtje ook. Op tafel staan thee met melk en cafeïnevrije koffie, broodjes, jam en honing, boter, en soms roomkaas van de Natuurhoeve hier in de buurt (eigenlijk maakt die alleen roomkaas voor eigen gebruik, maar af en toe komt de oude boer een bak vol brengen – onwaarschijnlijk lekker). De oude mevrouw Stemmerle (die haar kleindochter van kant heeft gemaakt) is altijd ontzettend blij als ik kom ontbijten, omdat ik haar broodjes smeer en zij dan alleen maar hoeft te eten.

Na werktijd was ik nog bij je, een verpleegster was net je katheter aan het verwisselen. Dat is geen pretje, Max. Ik stond ondertussen voor de deur te wachten. De dokter liep al draaiend aan zijn snor voorbij. Opeens bleef hij staan, draaide zich om en kwam recht op me af. Hij vroeg of we familie waren. 'Nee,' zei ik, 'alleen goede vrienden.'

'Alleen goede vrienden, hè?' zei hij na een tijdje, en hij begon weer aan zijn snor te draaien en liep weg. Meteen nadat ik je dit had verteld, dacht ik er nog eens over na. Ik vroeg me af wat hij er eigenlijk mee bedoelde. 'Alleen goede vrienden, hè?' Zou hij denken dat we... nou ja, dat we homo zijn? Wat vind je daarvan, Max, misschien denkt hij wel dat we mietjes zijn! Dat zal ik hem even duidelijk maken als ik hem tegenkom, die klootzak. Meld me morgen weer.

Vrijdag, 7 april

Heb een paar dagen niets geschreven, maar ik was wel elke dag in het ziekenhuis. Die snor heb ik jammer genoeg nog niet te pakken gekregen. Ik vroeg in de personeelska- mer waar hij uithing en het bleek dat hij de laatste dagen tegelijk met mij dienst had. Het zal dus tot volgende week moeten wachten.

Toen ik woensdag mijn balkon op wilde stappen (bij de Rarevogels), stond Walrika al buiten een sigaretje te roken. Het was na het eten en de bewoners deden allemaal een middagdutje. Eerst stond ik een beetje ongemakkelijk in mijn broekzakken te graaien, maar uiteindelijk stak ik toch maar een sigaret op en zo stonden we samen te roken. Dat was wel vreemd. Ik heb altijd het gevoel dat ik iets doe wat niet mag als zij staat te kijken. Hoewel Walrika zelf ook rookt. Daarna gingen we weer naar bin- nen en ik liep naar het kantoortje om de dagindeling voor

21

de volgende dag te bekijken (daar staat op wie wat doet: therapie, knutselen, gesprekken, enzovoorts). Het schema hangt op een prikbord en Psycho-Redlich stond er toevallig ook naar te kijken. Ik was nog maar net naast haar gaan staan, toen ze begon te snuiven en zei: 'Je stinkt naar rook, Vorholzner!' Maar voordat het tot me doorgedrongen was, hoorde ik Walrika achter me zeggen: 'En jij naar azijn!' Eerst begreep ik het niet, maar eigenlijk heeft Walrika wel gelijk. Redlich ruikt altijd een beetje zuur. Nee, zuur is misschien niet het goede woord, het is meer een soort zoetzuur. Waarschijnlijk een deodorant of een parfum of weet ik het, vast niet iets goedkoops (aan haar is helemaal niets goedkoop). Nou ja, in elk geval ruikt het niet lekker. Het is alleen grappig dat Walrika zoiets opvalt. En dat ze het zo ronduit zegt, en nog om mij te helpen ook. Psycho-Redlich trok alleen een wenkbrauw op en liep toen snel het kantoortje uit. Walrika stopte me een pepermuntje toe en fluisterde: 'Moet je altijd bij je hebben, Niels. Neem er eentje, in godsnaam.'

Wie denk je dat ik gisteren bij de benzinepomp tegenkwam? Je raadt het nooit. Het was het hoofd van onze basisschool (haar naam schoot me jammer genoeg niet te binnen, iets buitenlands, ze was getrouwd met een Nederlander, Van der Neut, Van den Broek of zoiets). Ze vroeg naar jou, ze had gehoord dat je een ongeluk had gehad. Ik beantwoordde één voor één haar vragen, en tot slot zegt ze: 'Ja, Maxim en Niels, onafscheidelijk... onscheidbaar eigenlijk, als een Siamese tweeling. Ik waarschuwde de onderwijzers altijd dat jullie niet naast elkaar mochten zitten. Elk jaar, steeds hetzelfde. Vorholzner en Ellmeier niet in één bank, in geen geval.' Ik wist niet goed wat ik daarop moest zeggen. Maar ik vroeg wel waarom ze dat altijd zei, we waren toch eigenlijk heel onschuldig.

'Jullie apart wel, Niels, totaal onschuldig, maar samen! Samen waren jullie een ramp. Als nitro en glycerine, weet je. Ieder op zich volkomen ongevaarlijk, maar samen explosief.'

Grappig, dat heb ik nooit zo gezien, jij wel, Max? Nou ja, we haalden weleens iets uit op het schoolplein. Maar daarna kregen we altijd meteen ons verdiende loon. De voorste bank in het nablijflokaal had de vorm van onze reet, denk je niet? En onze ouders kregen nogal wat brieven, hè, waarop natuurlijk meteen huisarrest volgde (althans de eerste jaren, daarna ondertekenden we ze zelf). Maar nitroglycerine, ik weet het niet. Nou ja. Ik moest je de hartelijke groeten doen en beterschap wensen, wat ik dezelfde dag nog heb gedaan, maar je reageerde weer niet.

Trouwens, nadat ik het schoolhoofd was tegengekomen heb ik in mijn doos met foto's zitten zoeken naar die foto van onze eerste schooldag. Uiteindelijk vond ik hem. Daar staan we met onze armen om elkaar heen in de camera te grijnzen. Jij had net je voortanden gewisseld, maar bij mij zat er een debiel gat. Als kind heb ik die foto ooit doormidden gescheurd, Max. Ik was boos dat jij er zo volwassen uitzag en ik wel een kleuter leek. Maar nu moet ik zeggen dat die slagtanden in jouw kindergezicht ook niet zo mooi stonden. Mijn moeder heeft de foto met plakband weer aan elkaar geplakt. Ze vond het heel erg schattig dat ik zo boos was. Het is een geweldige foto van ons tweeën:

achterop heb ik 'nitroglycerine' geschreven en vanaf vandaag zit hij in de achterzak van mijn spijkerbroek.

In je ziekenhuiskamer liep ik Peter en Rick tegen het lijf, ze stonden twee meter van je bed en moesten zich uitrekken om je überhaupt te kunnen zien. Alsof je lepra had of zo. Rick stond op zijn nagels te bijten. Ik ging op de rand van je bed zitten en zei: 'Oké, we zijn met z'n vieren, laten we kaarten!' Daar konden ze niet om lachen. Ze waren zo ernstig en somber, alsof ze op je begrafenis waren. Ik ouwehoerde er nog een tijdje op los en uiteindelijk dropen ze af. Ik keek ze even na en toen ik weer naar jou keek lag je te grijnzen, man. Althans, dat verbeeldde ik me. Ik had kunnen zweren dat je grijnsde. Dat was op woensdag.

En toen ik op donderdag bij je was, jemig, dat verzin je niet! Ik zat je net gezellig de sportpagina uit de krant voor te lezen, toen opeens je ouders binnenkwamen. Ze hadden enorme haast en duwden de deur achter zich dicht alsof de duivel ze op de hielen zat. Je moeder hijgde als een postpaard en je vader liep langs haar heen recht op mij af. Hij gaf me een hand en zei: 'Ik word nog eens gek van dat mens!' En wat denk je, ze hadden dat mormel bij zich! Ze hadden hem onder een jas langs het verplegend personeel gesmokkeld. Je moeder hield zijn snuit dicht zodat hij niet ging blaffen, maar hij jankte wel. Dat overstemde ze door te hoesten, en zo waren ze door de gangen gehold. Terwijl je vader dit aan het vertellen was veegde hij telkens het zweet van zijn voorhoofd. Daarna was het zijn taak om bij de deur op de uitkijk te staan. Je moeder zette dat mormel op je borst en wachtte of je zou reageren. Maar dat deed je niet. Dat mormel trouwens ook niet. Die wilde alleen van het bed af om op de grond te poepen, denk ik. Op een gegeven moment vertrokken ze weer, en ik ging op de rand van je bed zitten om de rest van de sportpagina voor te lezen.

Ja, meer is er eigenlijk niet gebeurd. De bel ging net. Justin, Rick en Peter staan beneden met een krat bier. Ik meld me morgen weer.

Zaterdag, 8 april

Zeg, Max, het zou mooi zijn als je langzamerhand weer opknapt. Zonder jou is er niets aan. Gisteravond had ik bezoek (zoals ik schreef), we hebben bier gedronken en over de goeie ouwe tijd gekletst. Opeens zei Justin dat wij tweeën ontzettend stom waren geweest om midden in februari, hartje winter, te gaan toeren met onze motoren. Maar het was zulk mooi weer, hè Max, misschien wel achttien graden in het zonnetje. En we waren het er toch over eens dat het een prachtige dag was voor de eerste tocht van het jaar? Nou ja. Op een gegeven moment stond natuurlijk weer die ouwe cd van STS op en we hebben foto's gekeken van de laatste vakantie. Jij stond bijna overal op: Maxim op het strand, Maxim in de disco, Maxim met bier, Maxim met vrouwen, Maxim in zwembroek, Maxim zonder zwembroek. Dat komt vast doordat jij de enige was zonder camera. Maar goed. We keken foto's en dronken bier en luisterden naar STS. En Rick zat op zijn nagels te bijten. Uiteindelijk begon Peter te huilen en toen heb ik ze de deur uit gezet. Ik kon een hele tijd niet in slaap komen, heb het licht uitgedaan en bij het open raam een sigaretje gerookt en naar de sterren gekeken (ongelooflijk veel waren het er). Ik voelde me ellendig – als het had gekund was ik naar het ziekenhuis gegaan om bij je in bed te kruipen (zou die snor toch gelijk hebben??). Soms ben ik bang dat het niets meer met je wordt, Max. Maar vannacht stelde ik me voor hoe het zou zijn als ik je niet meer kon opzoeken. Als je zomaar doodging en ik niet meer naar je toe kon in het ziekenhuis. Dan hoefde ik ook niets meer te schrijven, waarom zou ik? Dat was afschuwelijk, Max. Op een gegeven moment ben ik in slaap gevallen, niet voor lang (het is nu twintig over zes), en nu schrijf ik je dit. Hé, man, doe je best. Soms wordt een comapatiënt na een hele tijd opeens gezond wakker. En jij bent altijd een vechter geweest, dus kom op nou!

Ik heb Rick en Peter trouwens gisteravond nog gevraagd waarom ze zo spastisch deden in het ziekenhuis. Ze begonnen meteen te zeiken dat ze er nog maar net waren en dat ik toen opeens binnen was gekomen, op het bed was neergeploft en alle aandacht had opgeëist. Bovendien vonden ze mijn grappen smakeloos en ongepast. Maar jij, Max, lag te grijnzen – dat weet ik zeker.

Avond. Ik was nog bij je in het ziekenhuis en Nele was er ook. Ze zat op de rand van je bed je hand te strelen. En ik ben op de vensterbank gaan zitten en heb naar jullie gekeken. We zeiden alle drie geen woord (jij ook niet) en vlak voordat Nele wegging gaf ze je een kus op je voorhoofd, ging voor me staan en stak een hand naar me uit. Ze zei: 'Dat was stom van me laatst. Sorry. Maar weet je, Niels, ik mis hem zo ontzettend.' Ik gaf haar een hand en knikte. Ik denk dat het nu uit de wereld is.

Zondag, 9 april

Uitgeslapen. Ik ben er gisteren vroeg in gekropen en heb tot halféén geslapen. Heb de vorige nacht bijna goedgemaakt. Tijdens het ontbijt belden mijn ouders vanuit hun bejaardenflat in Spanje. (Mijn moeder haat dat woord. Ze zegt dat het geen bejaardenflat is, maar een nieuw begin.) Natuurlijk was het hetzelfde geklets als altijd. Ze wilden weten hoe het met je ging, en toen ik 'slecht' antwoordde, zei mijn moeder dat ik niet altijd zo negatief moest doen. Misschien moest ik eens een beetje gaan mediteren of aan yoga doen, en ik mocht niet met volle mond praten (ik was net aan het ontbijten). Ook moest ik je de hartelijke groeten doen en 'Kop op' zeggen. Hoe stom kun je zijn, ze weet toch dat jij je kop niet eens kunt voelen? Verder vertelde ze nog dat die arme Carlos ook ziek is (geen idee wie dat is). En ze zou vandaag in elk geval nog met je ouders bellen om te horen wat die te vertellen hadden.

Daarna kreeg ik mijn vader aan de lijn, die na wat geouwehoer vroeg of ik nog weleens trombone speelde. Ik wist niet meteen wat ik moest zeggen, want ik was dat stomme ding allang vergeten. Ik kon zo mooi en zo hard spelen, vond hij. Daar dacht hij met veel plezier aan terug. Echt, zo zei hij dat. Later schoot me te binnen hoe wij tweeën mijn eerste trombone hebben vernield, Max. Gewoon omdat ik geen zin had om erop te spelen, maar dat niet tegen mijn vader durfde te zeggen. We hebben toen die grap met de secondelijm bedacht, weet je nog, Max? We knepen bijna het hele tubetje leeg in dat ellendige stuk blik. Daarna kwamen er alleen nog scheetgeluiden uit. Mijn vader is er nooit achter gekomen dat wij daar iets mee te maken hadden. Hij zei dat we beter meteen een duur instrument hadden kunnen kopen, in plaats van goedkope troep uit China. De volgende dag kreeg ik een peperdure trombone van hem.

Nadat ik had opgehangen ging ik in T-shirt en onderbroek de gemeenschappelijke zolder op om dat stomme ding te zoeken. Na wat gescharrel vond ik het, en ik ging op een stapel oude tapijten zitten om het te bekijken. Ik trok mijn T-shirt uit om er het stof mee af te vegen en het metaal te poetsen. Even later kwam mijn buurvrouw met haar wasmand binnen, ze keek me heel raar aan en begon de was op te hangen. Ze had zeker nog nooit iemand in zijn onderbroek op zolder zijn trombone zien poetsen. Nou ja. Ik denk erover om het ding mee te nemen naar de Rarevogels. Voor het ochtendappel. Ik ga ermee in de gang staan en blaas de bewoners uit hun bed. Dan zijn we meteen af van dat gevecht om ze wakker te krijgen. Ja, dat ga ik doen!

Was 's avonds nog bij je en heb een beetje voorgelezen uit mijn leven. Ik heb op de rand van je bed en op de vensterbank gezeten. Ik keek naar de kastanje of naar het spleetje van je ogen en liet honderd keer je hand op de deken ploffen. Hij viel als een baksteen. Morgen begint mijn nachtdienst weer, daarvóór kom ik bij je op bezoek.

Het is nu halftwee 's nachts en ik zit bij de Rarevogels te schrijven. Ik vind de nachtdiensten prettig, ze zijn rustig (meestal) en dit oude gebouw is 's nachts nog mooier dan overdag. Walrika heeft overal schemerlampen neergezet, die warm licht op de oeroude muren werpen, voor als de bewoners 's nachts aan de wandel gaan. Dat komt bijna niet voor, maar bijna is niet helemaal. Onder zo'n lamp zit ik nu om je over de afgelopen dagen te vertellen. Zoals ik zei, de nachten zijn hier vaak rustig en daarom heb ik besloten om de dossiers van de bewoners eens wat beter te bekijken. Gewoon omdat ik wil weten waarom ze hier hun tijd doden. Ik was natuurlijk het meest geïnteresseerd in het dossier van onze nieuweling Florian. Waarom zit zo'n jongen van zeventien in een tehuis voor 'psychisch labiele personen'? Jammer genoeg ligt zijn dossier bij Psycho-Redlich, daarom ben ik maar begonnen met mevrouw Stemmerle.

En had je dat gedacht, Max, ze heeft echt de dood van haar kleindochter op haar geweten. Natuurlijk niet met opzet en ook niet door haar schuld, maar toch. De Stemmerles hadden (of hebben, ik zou het niet weten) een enorme lap grond pal aan de Starnberger See, met een dikke villa erop. Al generaties lang; ik denk dat zoiets nu onbetaalbaar is. De hele familie woonde daar en in die familie draaide alles om Jasmin, de kleindochter van mevrouw Stemmerle. Ze hadden het meisje al heel vroeg leren zwemmen, want dat meer voor de deur was toch een risico. Algauw zwom het kind als een otter en was de familie gerustgesteld. Op een warme middag, die Jasmin niet zou overleven, ging oma met haar naar het water, zoals ze al zo vaak hadden gedaan. De ouders waren allebei naar hun werk en opa deed een middagdutje in het koele huis. Het meisje dobberde vrolijk op een klein luchtbed en spatte water naar oma, die op een kleed op de oever zat. Jasmin was overmoedig en uitgelaten, en niet meer uit het water te krijgen. Daar kwam het waarschijnlijk ook door, ze heeft gewoon haar eigen krachten overschat. Op een gegeven moment wilde ze zich omdraaien en gleed van het luchtbed. Door die beweging dobberde het bij haar vandaan. Het meisje ging kopje-onder, kreeg water in haar neus en mond, kwam weer boven, stak haar armpjes in de lucht en schreeuwde om hulp. Het gebeurde allemaal in een paar seconden. Waarschijnlijk leek de veilige oever onbereikbaar voor haar. Oma sprong dodelijk geschrokken op, maar haar benen weigerden dienst. Voordat ze haar kleindochter kon helpen, verloor ze het bewustzijn. Toen oma weer bijkwam, was Jasmin al dood. Ze stierf op haar achtste. De oude vrouw was flauwgevallen, meer niet. Door de warmte en de opwinding was haar lichaam er even mee opgehouden, om weer op krachten te komen. Een paar tellen maar. Dat werden de meest rampzalige seconden van haar leven.

Zes weken later vertrok Jasmins moeder. Niemand heeft haar ooit nog gezien. En weer zes weken later stierf opa. Na de dood van haar man vroeg mevrouw Stemmerle of haar zoon haar wilde wegbrengen. Weg uit het huis en weg van het meer. Het was het enige en het laatste wat moeder en zoon na het ongeluk met elkaar hebben besproken. Hij bracht haar naar de Rarevogels, reed weg en kwam nooit meer terug. Dat is nu bijna tien jaar geleden en dan vraag je je natuurlijk af waarom zoiets moet gebeuren. Waarom wordt iemand een paar seconden buiten gevecht gesteld, waarna niets meer is zoals het was? Waarna helemaal niets meer iets waard is. Het leven van vijf mensen niets meer waard is. Geen snars. Wat is daar de zin van? Nou ja, Max, dat hoef ik jou niet te vragen, man. We hebben zelf zo onze zorgen, hè? Het ene moment heb je een topdag en rijd je op je motor in de zon, het volgende moment is alles anders. Geen ronkende motoren, geen piepende banden. En ook het lachen is verstomd. Stilte totdat de sirenes komen. Het enige wat je kunt horen, is je eigen hart. Het bonst en bonst en klopt als een bezetene tegen je slapen. En je weet meteen dat niets meer is zoals het was.

Afgelopen nacht werd mevrouw Stemmerle weer wakker en vroeg me of Jasmin in de kamer was. En omdat mevrouw Stemmerle elke keer zo verdrietig wordt als ik zeg, nee, Jasmin is niet in de kamer, er is helemaal niemand in de kamer behalve wij tweeën, zei ik deze keer dat Jasmin er was. En mevrouw Stemmerle was blij! Het was de allereerste keer dat ik haar zag glimlachen. En toen begon ze met Jasmin te praten. Omdat ze zo slecht hoort, vroeg ze aan mij of ik haar wilde vertellen wat Jasmin voor antwoorden gaf. Het zweet brak me uit, man. Waar was ik aan begonnen? Wat zou een dood meisje van acht tegen haar oma zeggen als die vraagt waar ze nu is en hoe het met haar gaat? Maar ik heb mijn best gedaan, ik was tenslotte zelf met die onzin begonnen. Ik zei dat het mooi was waar ze nu was, en lekker warm en dat het heel goed met haar ging. Daarna viel mevrouw Stemmerle met een glimlach op haar lippen in slaap, en die zag ik nog steeds toen ik haar 's ochtends wakker maakte.

Dezelfde avond, op het moment dat ik mijn witte jasje aanschoot om de nachtdienst in te gaan, stond Walrika in de deuropening en zei dat ik bij mevrouw Redlich moest komen. En wel onmiddellijk. Ik was nog niet bij haar binnen of ze beet me toe wie ik wel dacht dat ik was. Hoe ik het in mijn hoofd haalde tegen mevrouw Stemmerle te zeggen dat haar kleindochter in de kamer was en met haar praatte. Mijn taak was het om thee met melk rond te brengen en mijn stomme kop te houden (zo zei ze het natuurlijk niet, maar het kwam erop neer). En het was haar klotetaak om de gasten psychologisch te begeleiden. Nou, als je nagaat dat mevrouw Stemmerle hier al jaren psychologisch begeleid wordt, en het mevrouw Redlich al die tijd niet gelukt is om een piepklein glimlachje uit haar te persen, dan is het succes van die begeleiding op zijn minst twijfelachtig, of niet, Max? Nou ja. Ik heb vast geen punten verdiend met mijn actie, krijg geen plakplaatje voor vlijt en mag blij zijn dat ik niet in de hoek hoef te staan.

Daarna sprak ik Walrika nog (in de rookpauze) en die zei dat mevrouw Stemmerle op elk 'goeiedag' of 'een mooie dag vandaag, vindt u niet?' altijd antwoordt: 'Er zijn geen mooie dagen meer, al heel lang niet', en dat al jarenlang. 'Jij hebt mevrouw Stemmerle aan het lachen gemaakt, dat moet Redlich in godsnaam eerst maar eens zien na te doen!' zei ze aan het eind nog.

Ik kwam er trouwens achter dat Walrika elke dag maar één sigaret rookt, en dat stemt ze af op mijn dienst. Als ik vroege dienst heb, rookt ze er 's middags een, als de bewoners een dutje doen. Heb ik nachtdienst, dan haalt ze me even voor tienen op om naar het balkon te gaan, waarna ze naar haar kamer gaat. Ergens ben ik daar wel trots op, dat ze graag samen met mij gaat roken.

Zo, dat was mijn verhaal over de bewoners, ik heb het je ook verteld, maar je reageerde niet.

Ik heb trouwens echt de trombone meegenomen naar de Rarevogels. Voor de wektruc. Ik ben bang dat ik daar niet goed over heb nagedacht. Mijn plan om de bewoners uit bed te blazen was een groot succes. Logisch, het was nieuw, en zoveel nieuws gebeurt hier niet. Ze kwamen dus allemaal braaf en brandend van nieuwsgierigheid hun kamers uit, en er kon ruim twintig minuten eerder worden ontbeten. Jammer genoeg klampen ze me nu voortdurend aan om te vragen of ik nog een keer wil spelen. Om de zenuwen van te krijgen. Ik hoop dat het gauw overgaat.

O ja, ik moet je nog vertellen dat ik er nu achter ben waarom Psycho-Redlich zo zoetzuur ruikt. Afgelopen nacht heb ik haar vakje in de personeelskamer eens goed bekeken. Ik heb niets aangeraakt, ik zweer het, alleen gezocht naar een flesje parfum of zoiets, en ja hoor – gevonden. Dat zoetzure goedje zit in een roze flacon met het opschrift WILDE ROOS – JEAN MORAGNE. Na één spuitje wist ik het zeker. Het ruikt niet sterk, maar blijft op de achtergrond, als een stille toeschouwer in een hoekje, en daarom is het waarschijnlijk juist zo vies. Zoetzure wilde roos, wilderozenazijn. Nou ja, wat maakt het uit.

Zo, Max, dat was de berichtgeving van de afgelopen dagen, meer is er niet gebeurd. Het wordt langzamerhand tijd om mijn ronde te doen en daarna moet ik naar de keuken om het ontbijt klaar te maken. Ik kom morgen voor mijn werk bij je langs, tot dan.

Hé, Max, je gelooft nooit wat er vanmiddag is gebeurd. Ik heb jammer genoeg maar de helft meegemaakt, ik was er te laat bij en heb het beste gemist. Peter en Rick hebben me later alles haarfijn verteld en nu brief ik het gewoon aan jou door. Het is bezopen. Ze waren onderweg naar jou en zagen al vanaf de gang door de open kamerdeur dat er een hele horde witte jassen om je heen stond. Ze schrokken zich natuurlijk rot, omdat ze dachten dat er ik weet niet wat met je was gebeurd. Maar al snel bleek dat dokter Snor alleen een paar van zijn studenten rond je bed had verzameld om jouw niet bepaald gewone geval toe te lichten. Peter en Rick wachtten braaf op de gang en hielden natuurlijk scherp in de gaten wat die snor en zijn ondergeschikten daar allemaal stonden te kletsen.

Toen de colonne uiteindelijk je kamer uit liep, zei een van de studenten tegen een ander: 'Eigenlijk is hij allang dood, hij stinkt alleen nog niet.'

Dat was een grove fout! Rick haalde uit en sloeg die zak vol op zijn bek. Maar die liet dat natuurlijk niet op zich zitten. Dat kon ook niet, want er stonden mensen om hem heen voor wie hij niet af wilde gaan. En zo ontstond in een mum van tijd een fijne knokpartij, die ik jammer genoeg heb gemist. Ik kwam pas aan toen Rick en Peter al voor de ingang van het ziekenhuis stonden en Peter Rick ervan moest weerhouden om weer naar binnen te gaan, omdat hij vond dat hij nog niet klaar was met die gozer. Nog lang niet. Peter vertelde me wat er was gebeurd en dat het ziekenhuis Rick een toegangsverbod had opgelegd. En Rick zat alleen maar op zijn nagels te bijten.

Nu was het mijn beurt. Ik liep rechtstreeks naar het kantoor van dokter Snor, gooide de deur open en zag hem daar zitten. Hij was verdiept in een stapel dossiers en keek me over zijn montuurloze bril aan. Na een 'Wat denk jij wel...' van zijn kant nam ik het woord. Ik maakte hem eerst maar eens duidelijk dat we geen homo's zijn. Jij niet en ik niet. Geen van beiden. En wat die stomme vraag van laatst eigenlijk te betekenen had. Dat het hem helemaal geen donder aangaat of we homo zijn of niet. Ik wachtte zijn antwoord niet af, maar raasde gelijk door: wat hij voor ongevoelige en onbekwame knuppels in zijn team had en dat ik er kotsmisselijk van zou worden als ik met dat soort mensen moest samenwerken. En dat hij beter eerst eens aan de slag kon gaan om jou weer terug te halen voordat hij probeerde die idioten iets bij te brengen. Dat zou tenminste zinnig zijn. Zo ging ik een poosje door, en ik denk dat ik geen scheldwoord heb overgeslagen. Als laatste zei ik nog dat hij het toegangsverbod voor Rick onmiddellijk moest intrekken, anders zou ik zijn rotkliniek in de fik steken. Hij zei de hele tijd niets. Hij zat daar maar achter zijn enorme bureau, keek over de rand van zijn bril, draaide aan zijn snor en liet mij tekeergaan. Toen ik uiteindelijk niets meer kon bedenken, stond hij op, wees me met een heel rustig armgebaar de deur en zei: 'Het toegangsverbod voor je vriend blijft van kracht. Ik sta hier in voor mijn patiënten en voor mijn medewerkers, en een risico, vanuit wat voor emoties dan ook, kan ik me niet permitteren. Wat jouw brutale persoon betreft denk ik nog na over een toegangsverbod, want je hebt je zojuist gedragen als een olifant in een porseleinkast. En wil je me nu excuseren, ik heb het druk met mensen terughalen.'

En ik stond al buiten. Ik ben toen nog even naar beneden gegaan om verslag uit te brengen aan Peter en Rick. Jammer genoeg redde ik het daarna niet meer om naar je toe te gaan, ik was toch al te laat bij de Rarevogels. Morgen kom ik zeker.

O ja, ik kwam trouwens bij de ingang van het ziekenhuis Walrika en Florian (die nieuwe) tegen. Net nadat we Rick hadden tegengehouden toen die weer naar binnen wilde, kwamen ze met stevige pas van de parkeerplaats. Later vertelde Walrika me op het balkon dat de oma van die jongen op sterven ligt.

Ik was ook nog bij mevrouw Stemmerle (het was weer halfdrie, ze heeft blijkbaar een inwendige klok). We hebben een tijdlang met Jasmin gekletst en in gedachten heb ik mijn middelvinger opgestoken naar Psycho-Redlich. Een middelvinger voor wilderozenazijn!

Zaterdag, 22 april

Hallo Maxim,

Ik heb een week niets geschreven, maar was behalve woensdag wel elke dag bij je. Ik kwam ook die snor een paar keer tegen, maar hij zei niets meer over mijn toegangsverbod. Rick durft niet meer naar je toe en staat zo nu en dan voor het ziekenhuis op zijn nagels te bijten en net zo lang te wachten tot iemand hem vertelt hoe het met je gaat. Afgelopen week had ik weer dagdienst, en op een of andere manier kom ik dan helemaal nergens toe. Ik ben al voor dag en dauw bij de Rarevogels en fiets daarna snel naar het ziekenhuis om je de belangrijkste berichten uit de krant voor te lezen (meestal sport, maar ook een beetje politiek, je moet natuurlijk niet afgestompt raken) of te vertellen wat ik heb meegemaakt. Het maakt niet uit, want je reageert toch niet.

Thuis kom ik momenteel tot helemaal niets, zoals ik al zei, want 's avonds kan ik geen pap meer zeggen. Ik schuif nog snel een pizza of zo in de oven, zet de televisie aan en val meestal bij de eerste krimi in slaap. Mijn huis is een zwijnenstal, en vandaag wil ik de ergste troep opruimen. Maar eerst schrijf ik de nieuwtjes op, zodat we niets vergeten.

Een nieuwtje is bijvoorbeeld dat Redlich nu bij de Rarevogels overnacht. In haar praktijkruimte om precies te zijn. Ze heeft er een opklapbed neergezet en daar slaapt ze nu. Tijdelijk, zegt ze. Omdat ze haar relatie heeft beëindigd. Ze heeft er jarenlang aan gewerkt, maar is erachter gekomen dat het hopeloos is. Nu wil ze eerst een passende woning vinden, want Psycho-Redlich kan natuurlijk niet zomaar in elk willekeurig huis wonen. Ik zei tegen haar dat als ze er nu toch was, ik geen nachtdiensten meer hoefde te draaien (hoewel ik die veel leuker vind). Ik zei het voor de grap, om te kijken hoe ze zou reageren. En ze antwoordde onmiddellijk: 'Nee, Vorholzner, ik word hier niet betaald om handjes te strelen, kinderachtige verhaaltjes te vertellen voor het slapengaan, bedpannen te legen of denkbeeldige gesprekken met doden te voeren. Dat laat ik graag aan jou over, met al je talent.' Daarna wierp ze haar koperkleurige haar naar achteren en liep met grote passen weg.

Ik heb trouwens tegen mevrouw Stemmerle gezegd dat ze het maar met niemand meer moet hebben over de gesprekken met Jasmin. Ik zei dat als ze weten dat Jasmin hier nu ook woont, zij misschien de rekening krijgt, en dat wil toch niemand. Mijn god, hoe moet dit aflopen? Nou ja, in elk geval heeft mevrouw Stemmerle sindsdien geen woord meer gezegd over de nachtelijke bezoeken van Jasmin. Betrouwbaar als ze is.

Op woensdagmiddag had ik de eervolle taak om met Florian naar de begrafenis van zijn oma te gaan. Er waren ongelooflijk veel mensen op het kerkhof en een heleboel kwamen Florian de hand schudden of gaven hem een klopje op de schouder. Daarna stelde ik voor om nog ergens koffie te gaan drinken, in de hoop dat die jongen eens boe of bah zou zeggen. Had je gedacht. Hij zat maar lusteloos in zijn kopje te roeren en gaf totaal geen antwoord op mijn vragen. Misschien was ik ook te fel of te opdringerig, en ik stelde vast dezelfde stomme vragen waarop hij Redlich al geen antwoord had gegeven. In elk geval schreeuwde hij op een gegeven moment: 'Dat gaat je allemaal geen donder aan, oké? Val me niet lastig met dat nieuwsgierige gevraag! Jullie begrijpen het toch niet! En breng me nu naar huis, ik wil terug naar de Rarevogels!'

Maar om één ding was ik toch blij: hij zei dat hij naar huis wilde, niet naar het tehuis! En hij noemde het de Rarevogels; hij noemde het tehuis voor 'psychisch labiele personen' bij zijn naam, bij zijn onofficiële naam, die het van mij heeft gekregen. Dat betekent misschien dat hij zich er goed voelt. Dat stelde me gerust. Ik bracht hem dan ook meteen naar huis.

Zondag, 23 april

Gisteren ben ik jammer genoeg niet ver gekomen. Niet met schrijven en niet met schoonmaken. Op een gegeven moment stond Peter steentjes tegen het raam te gooien. (Ik had de bel afgezet om in alle rust te kunnen schrijven en schoonmaken. Je ziet, de wil was er wel.) Het was heerlijk weer en Peter stelde voor een stukje te gaan rijden op de motor. Sinds je ongeluk staat dat ding alleen maar in de garage, Max, en ik was absoluut niet van plan daar iets aan te veranderen. Maar Peter zei dat hij er hoognodig eens uit moest en dat jij er echt niet sneller beter van zou worden als die motor stoffig stond te worden in de garage. Na wat heen en weer gepraat zijn we uiteindelijk vertrokken. We reden via Regensburg richting München en daarna naar de Chiemsee. Een uitzicht als op een ansichtkaart, langs alle files en tot slot van de middag forel van de grill. Beter kan niet, Max. Maar je weet er alles van. Je was er elke minuut van de dag bij, geloof me, tenminste tot dat ene moment.

Toen we laat in de middag terug naar huis wilden rijden, gaf de motor van Peter opeens geen kik meer. We probeerden echt van alles, hebben het ding op de parkeerplaats helemaal uit elkaar gehaald, maar niets. Geen geluid te krijgen uit die klotemotor. Peter liep te vloeken als een ketter en schopte nog een paar keer tegen de banden, maar niets, geen kik. Uiteindelijk vonden we een benzinepomp. Maar daar konden ze ons alleen vertellen dat de dichtstbijzijnde motorzaak met werkplaats acht kilometer verderop zat, aan de oude provinciale weg. Ik wilde natuurlijk Peters motor laten staan en er met z'n tweeën op de mijne naartoe rijden. Maar Peter raakte een beetje de kluts kwijt en wilde dat klereding er met alle geweld zelf naartoe duwen. En dat deed hij ook. Eerst reed ik een tijdje naast hem, draaide een paar rondjes om hem heen, tot hij er gek van werd en schreeuwde dat ik nu eindelijk eens moest oprotten. Ik ben toen vooruitgereden naar die motorzaak om te vragen of ze ons konden helpen. En hoe lang dat ging duren. De vriendelijke dame zei dat hij op zijn vroegst donderdag kon worden gemaakt, tenzij ze reserveonderdelen moesten bestellen. Haar man was net aan zijn aambeien geopereerd en zou pas op woensdag uit het ziekenhuis komen. Ze vertelde het nogal uitvoerig en was net klaar toen Peter hijgend en met een vuurrode kop binnenkwam. Ik praatte hem bij en stelde voor zijn motor te laten staan en samen op de mijne naar huis te rijden. Maar dat wilde hij absoluut niet. Nou ja.

Het eind van het liedje was dat we Justin belden, en die kwam tweeënhalf uur later vloekend bij ons aan. Met het familiejuweel van de Brenningers, de bestelwagen met het opschrift PARTYSERVICE BRENNINGER. EXQUISE DELICATESSEN. Daarna moesten we die klotemotor nog in ongeveer driehonderd meter vershoudfolie wikkelen, anders werden de zilveren schalen vies. Zo reed hij uiteindelijk in folie gewikkeld tussen al die chique serveerwagens en papieren onderleggers naar huis. Justin zat aan één stuk door te vloeken, zei Peter, en hij vroeg wanneer we nou eindelijk genoeg kregen van die stomme motoren. En Justin vertelde dat Peter alleen maar uit het zijraampje had gekeken en waarschijnlijk had zitten huilen. Ik reed op mijn Zündapp naar huis, maar ik had liever thuis schoongemaakt en aan jou geschreven, Max.

Donderdag, 27 april

Beste Maxim,
Vandaag word je tweeëntwintig en ik wens je nog vele jaren in goede gezondheid, zoals ik je nog nooit heb toegewenst. Ik wil dat het beter gaat. Dat je eindelijk ergens op reageert. En dat je weer een levend deel van mijn leven bent, verdomme. Ik hoop vurig dat we op je drieëntwintigste verjaardag weer eens stevig de bloemetjes buiten kunnen zetten, man.

Daarnet onder de douche moest ik aan je achttiende verjaardag denken. Die was top, weet je nog, Max? Voor het eerst van je leven totale vrijheid. We hadden allemaal gelapt (natuurlijk kwam het meeste van je ouders) en je een reis naar Spanje cadeau gedaan. Michel was er ook nog bij, voordat hij met zijn hele hebben en houden halsoverkop naar Nieuw-Zeeland vertrok. Het was de allereerste keer dat wij met z'n zessen zo ver van huis waren, en helemaal op onszelf waren aangewezen. Dat gevoel zal ik nooit vergeten. Opeens mocht alles, en konden we de godganse dag doen en laten waar we zin in hadden. En dat deden we ook, ieder op zijn eigen manier, hè Max? Terwijl wij de ene roodhuid na de andere versierden (zo noemden we die Engelse meiden, weet je nog?), sloot jij vriendschap met een Spaanse straathond. Je lokte dat beest met eten en uiteindelijk was hij niet meer bij je weg te slaan. Het ging zelfs zo ver dat je dat stomme beest mee wilde nemen naar onze kamer. Ik kon mijn ogen niet geloven toen je ermee kwam aanzetten. Ik heb je toen heel duidelijk gemaakt dat het beest onze kamer niet in kwam, van z'n leven niet. Al helemaal niet omdat hij vast en zeker vlooien had (jij natuurlijk ook, je had overal bulten en die waren beslist niet van de muggen, hoe vaak je dat ook beweerde). Je bent toen superchagrijnig vertrokken met je nieuwe vriend en hebt beneden op het strand liggen pitten. En je bent overal naartoe geweest om erachter te komen wat je moest doen om dat stomme beest mee te kunnen nemen naar Duitsland. Maar uiteindelijk was dat mormel toch een stuk verstandiger dan jij. Op de een na laatste avond kwam hij niet meer opdagen, hij wilde jullie vast een verdrietig afscheid besparen. Of hij had iemand anders aan de haak geslagen, iemand die nog meer opleverde, wie weet. In elk geval draafde jij die nacht door de straatjes om dat stomme beest te zoeken. De laatste avond liet je je vollopen en op de terugvlucht kotste je ik weet niet hoeveel zakjes vol. Nee, Max, die vakantie zal ik nooit vergeten. Om je eer te redden moet ik zeggen dat je de dierenwereld in latere vakanties zorgvuldig uit de weg bent gegaan. De teleurstelling was zeker te groot.

En vandaag ben je weer jarig. Ga nu aanstalten maken om naar je toe te gaan. Ik zal je tijdens mijn nachtdienst schrijven hoe we het hebben gevierd. Tot dan.

Ja, Max, we hebben je verjaardag gevierd. Iedereen was er denk ik, ik heb in elk geval niemand gemist. Toen ik binnenkwam zat Nele al op de rand van je bed je hand te strelen. Vlak daarna kwam Peter en even later verschenen je ouders met Rick. Je moeder had hem een arm gegeven en beende met hoog opgeheven hoofd en een strijdvaardige blik door de gang, vastbesloten om elke tegenstand uit de weg te ruimen, koste wat het kost. In de loop van de middag kwamen er nog wat mensen die het noemen niet waard zijn. Toch vond ik het heel fijn dat er zoveel mensen aan je denken, Max.

We zaten een tijdje te luisteren naar je moeder, die verkondigde dat er nu het een en ander ging veranderen. In een van haar vrouwenbladen had ze namelijk een artikel gelezen van een professor (zijn naam zou ik niet meer weten, al sla je me dood) over comapatiënten. En hij zei dat de stemming in een ziekenhuiskamer vanzelf overslaat op de patiënt. Die zuigt de stemming min of meer op en dat zie je direct terug in zijn ziektebeeld. Dus als je op de rand van het bed gaat zitten janken, gaat het ook slecht met de patiënt. Maar als je het over vrolijke dingen hebt en bijvoorbeeld nog een liedje zingt ook, dan gaat het vanzelf beter, tot volledige genezing aan toe. Precies zo vertelde je moeder het. Toen hebben we 'Happy birthday' gezongen. Als op commando ging de deur open en daar stond Justin, die de positieve sfeer nog eens enorm verhoogde. Hij kwam namelijk hapjes brengen en kleurige feesthoedjes, die hij meteen uitdeelde. En hij had ook champagne bij zich, dus hebben we met de hoedjes op een toost op je uitgebracht. Maar niemand kon de champagne echt door zijn keel krijgen, daarom heeft je vader in de loop van de middag nog een paar glaasjes leeggedronken. Op een gegeven moment wierp hij zich op je borst en kermde: 'Mijn zoon...! Mijn zoon...!' Je moeder trok hem aan zijn arm omhoog en zei dat hij zich nu eens moest beheersen en moest denken aan wat professor Al-sla-je-me-dood had gezegd. Maar hij schreeuwde dat ze godverdomme moest ophouden over die tyfuskwakzwalver. Toen gingen ze weg. Met Rick in hun kielzog.

Justin stapelde vervolgens al zijn zilveren schalen zorgvuldig op elkaar en verzamelde de champagneglazen. Daarna gingen hij en Peter ook weg. Nele en ik bleven, en we zeiden een tijdje helemaal niets. We zaten daar alleen maar met die stomme feesthoedjes op. Zij zat op de rand van je bed je hand te strelen. En ik zat op de vensterbank naar buiten te kijken. Naar de oude kastanje, die je vanuit je raam kunt zien en die net rood aan het bloeien is. Opeens zei Nele: 'Waarom heb ik eigenlijk altijd het gevoel dat ik jullie stoor als we hier samen zijn, Niels?'

Ik wist niet meteen wat ik moest zeggen, en daarom zei ik maar niets. Na een poosje stond ze op en kwam naar me toe.

'Laat ook maar,' zei ze nog, en ze zette haar feesthoedje af en ging weg.

Ja, en later bij de Rarevogels vroeg mijn collega (zij en ik wisselen elkaar af) of ik misschien een tijdje haar nachtdienst kon overnemen. Voor een paar weken of zo. Eerst draaide ze er wat omheen, maar stukje bij beetje kwam het eruit. Ze vertelde dat ze iemand had leren kennen en dat de nachtdienst dan gewoon waardeloos is. 's Nachts was ze graag beschikbaar, zei ze (voor wat dan ook). Eerst heb ik uitgebreid staan aarzelen, ik wilde het haar niet al te makkelijk maken en een beetje dankbaarheid is altijd fijn zoals je weet. Het kan geen kwaad als iemand bij je in het krijt staat. Uiteindelijk zei ik oké, ik doe het een paar weken, waarna ze me om de hals vloog. Zie je wel. Dus voorlopig zal ik alleen 's nachts bij de Rarevogels zijn, waar ik heel blij om ben en mevrouw Stemmerle vast ook.

Buiten op het balkon vertelde Walrika me dat de collega over wie ik het net had steeds weer iemand leert kennen. Ze klit dan een poosje aan hem als plakband, tot hij geen lucht meer krijgt en zich uit de voeten maakt. Zo gaat dat altijd. Misschien zou ze gewoon eens niet zo beschikbaar moeten zijn, het beste mens. Nou ja. Het is nu even na tweeën en ik moet mijn ronde doen. Ik weet nog niet of ik het morgen red om naar je toe te gaan, Max, ik moet nu echt eens mijn huis schoonmaken. Ik zie wel.

Zondag, 30 april

Zo, daar ben ik weer. Gisteren heb ik inderdaad de hele middag schoongemaakt en opgeruimd. Ik vond allerlei dingen die ik al een hele tijd kwijt was, maar waarnaar ik het zoeken al had opgegeven voor ik eraan begonnen was. Ik ben bijvoorbeeld weer in het trotse bezit van een blikopener, dus hoef mijn blikken niet meer moeizaam met een broodmes open te maken. Wat ook betekent dat ik niet meer voortdurend hoef uit te leggen waarom mijn linkerhand nu weer in het verband zit. Dat is een groot voordeel, nog afgezien van de pijn die ik mezelf bespaar. Ook de afstandsbediening is weer boven water, wat natuurlijk veel heen en weer geloop scheelt. Zo zou ik nog wel even kunnen doorgaan, maar ik wil je niet vervelen, man.

's Avonds zijn we naar de kermis in Regensburg gereden. Rick, Justin en ik. Peter ging natuurlijk niet mee, zoals elk jaar. Omdat hij er nog steeds niet overheen is dat zijn moeder er toen met een kermisklant vandoor is gegaan. Zomaar stiekem ertussenuit geknepen, weet je nog, Max? Het ene moment verkocht ze nog gebrande amandelen om de gezinskas een beetje te spekken, het volgende moment was ze ervandoor. Ze liet man en kind en huis achter en was gewoon verdwenen. Met een of andere kerel van een kermistent. Peter kreeg toen heel wat voor zijn kiezen. Niet alleen omdat zijn moeder weg was en zijn vader ten einde raad, nee, hij moest ook nog al dat imbeciele commentaar aanhoren. Van jong tot oud, iedereen voelde zich geroepen een duit in het zakje te doen. Dat was een zware tijd voor Peter. Maar in die tijd is hij er ook bij gekomen, hè? Eigenlijk was jij het die hem af en toe meesleepte. Ik herinner me nog als de dag van gisteren dat jij hem meenam naar het voetbalveld. Jullie kwamen samen het veld op en jij zei: 'Peter doet vandaag mee. Eén rotopmerking en je zult wat beleven. Begrepen?' Peter deed mee en niemand maakte een rotopmerking. Dat was aan jou te danken, Max. Later bleek dat Peter de beste speler van het veld was en de meeste doelpunten maakte, en het duurde niet lang of hij ging naar een andere club. Maar jij hebt aan het begin gestaan, man.

Peter was er vandaag dus niet bij, maar hij heeft ons

wel gebracht met de auto. We hebben gegrilde vis en *pretzels* gegeten en een paar biertjes gedronken. Voor jou hadden we er ook eentje besteld, dat stond als een monument midden op tafel. We kwamen een paar bekenden tegen en bijna iedereen vroeg naar je. We hebben dat ellendige verhaal over je ongeluk wel tig keer moeten vertellen en daar werden we niet bepaald vrolijk van. Toen uiteindelijk iedereen op de banken stond en 'You'll never walk alone' meebrulde, zaten wij alleen maar naar het volle glas bier in ons midden te staren, en toen zijn we met hangende koppies en een rothumeur uit de biertent vertrokken. Je hebt onze avond verpest, bedankt!

We belden Peter en hij haalde ons weer op. Natuurlijk vroeg hij naar zijn moeder, zoals elk jaar: 'Hebben jullie haar gezien?' En zoals elk jaar zeiden wij: 'Nee!' Nog afgezien van het feit dat we geen flauw idee hebben hoe zijn moeder er eigenlijk uitziet, zou natuurlijk niemand van ons het zeggen als hij haar had gezien. Waarom oude wonden openrijten? De drie anderen gingen daarna nog naar Sullivan's, ik niet, er kon gewoon geen bier meer bij.

Vandaag na het ontbijt belden mijn ouders uit Spanje en na wat geklets vertelde ik mijn vader dat ik mijn oude trombone van zolder had gehaald, en daarna natuurlijk het verhaal over het ochtendappel bij de Rarevogels. En hij was zo blij, Max, dat geloof je niet. Vooral omdat hij me op het idee had gebracht. Ik moest het nu absoluut bijhouden, zei hij. Bij blijven houden, jongen, wie muziek maakt is altijd aan de winnende hand, zei hij, en dat boze mensen niet zingen. Hij ging vandaag meteen kijken of er in dat gat waar ze wonen een muziekwinkel is, dan zou hij me muziekboeken sturen. Anders ging hij morgen wel de stad in, daar zou hij zeker wat vinden. In Spanje wonen massa's trombonisten, dus dat mocht geen probleem zijn. Ik had beter mijn mond kunnen houden, ik ben bang dat ik hem daar in zijn bejaardenflat nu eindelijk een taak heb gegeven die hij vol enthousiasme op zich gaat nemen.

O ja, en Carlos was gelukkig weer helemaal de oude (who the fuck is Carlos?). Ik moest je natuurlijk de hartelijke groeten van ze doen en je alle goeds wensen, wat ik morgen zal doen, vandaag trek ik het gewoon niet. Ik ga vandaag de hele dag in bed liggen en mijn herwonnen vrijheid in de vorm van een afstandsbediening vieren door als een gek heen en weer te zappen langs de kanalen. Ja, dat ga ik doen. Tot morgen, Max.

Dinsdag, 2 mei

Ik heb dus weer nachtdienst (zoals ik zei) en loop daarom steeds Psycho-Redlich tegen het lijf. Omdat ze haar relatie heeft beëindigd en daarom liever bij de Rarevogels overnacht. Dat ergert me ontzettend. Als ik je bijvoorbeeld in de keuken zit te schrijven, komt ze binnen en kijkt brutaal over mijn schouder. Verder vindt ze het maar niets dat ik altijd even voor tienen met Walrika het balkon op ga, en ook niet dat ik 's nachts zo lang bij mevrouw Stemmerle zit. Ze weet precies wat ik doe tijdens mijn diensten, en loopt daar continu over te zeiken. Wanneer slaapt dat mens eigenlijk?

Toen ik gisteren met Walrika op het balkon stond, vroeg ze me eens na te denken over de organisatie van het komende zomerfeest. Dat nam ik graag op me, het maakt de nacht een stuk korter en ik kan Walrika gewoon niets weigeren. Ik ga er nu over nadenken en meld me morgen weer. Ik was trouwens voor mijn werk nog bij je om je over de afgelopen dagen te vertellen. Maar je reageerde natuurlijk niet.

Donderdag, 4 mei

Ik schrijf dit bij de Rarevogels. Nadat de keuken en de bewoners waren opgeruimd en Walrika naar bed was gegaan, ging ik verder met de organisatie van het zomerfeest. Ik zat met een blocnote aan de keukentafel en maakte wat aantekeningen. En je kon erop wachten: Redlich kwam binnen en vroeg wat ik aan het doen was. Ik zal het kort houden: eerst werd ik er helemaal niet goed van, maar nadat ik het had uitgelegd, lag dat vreemd genoeg anders.

Redlich was enthousiast en vroeg of ze mee mocht doen. We zaten best lang bij elkaar en hadden een paar heel goede ideeën. Op een gegeven moment haalde ze een schaar, papier en lijm en maakte een paar versieringen die we van tevoren samen met de bewoners zouden kunnen knutselen. Om de tafels mooi te maken voor het feest. Eerst stak ze haar lange rode haren op, zodat er geen lijm in kwam. Ze vroeg of ik achter haar wilde gaan staan om te kijken hoe ze het deed, zodat ik het ook zou leren. Dat deed ik. In haar nek heeft ze zo'n heel licht, rossig donsje, dat is waanzinnig, Max. Je zou er knettergek van worden, zo geil ziet dat eruit. Helaas had ze weer wilderozenazijn gebruikt, wat alle erotiek in de kiem smoorde. Jammer eigenlijk.

Dus zaten we daar die versieringen voor op tafel uit te proberen, en ik dank God op mijn blote knieën dat niemand van jullie me dat heeft zien doen. Aan het eind zei ik nog dat ik het heel leuk had gevonden en dat het eigenlijk een stuk beter gaat als je niet de hele tijd tegen elkaar staat te schreeuwen. En zij zei dat je toch moest zeggen wat je stoorde, anders kropte je alles maar op. Dus toen heb ik tegen haar gezegd dat haar parfum me stoorde.

Maar nu moet ik gaan, mijn ronde doen, ik denk dat mevrouw Stemmerle en Jasmin al reikhalzend naar me uitkijken. Tot later, Max.

Zaterdag, 6 mei

Ik was vandaag een hele tijd bij je en las je een paar stukken voor uit mijn brief. Die snor stak nog zijn hoofd om de deur en vroeg of alles in orde was. Waarom vraagt hij dat aan mij? Hij is de arts, hij zou moeten weten dat het juist niet in orde is zoals het is. Nou ja.

We waren de hele middag alleen, pas tegen de avond kwamen je ouders. Toen ben ik 'm meteen gesmeerd. Grappig, ik denk dat Nele gelijk heeft als ze het gevoel heeft dat ze ons stoort, Max. Het is toch het mooist als we alleen zijn. Er gaat een enorme rust van je uit. Natuurlijk weet ik dat het voor jou geen pretje is en ik zou het ook graag anders zien, maar als ik bij jou ben, kom ik bij van alle drukte, snap je? Ik zit je op de rand van je bed te vertellen wat ik heb meegemaakt, of ik lees je iets voor. Af en toe loop ik naar het raam om naar buiten te kijken. Ik kan je hand vasthouden of op de deken laten ploffen. En als ik zou willen, zou ik door het spleetje naar je ogen kunnen kijken. Maar dat wil ik niet. Nou ja, het is fijn bij je.

Gisteren hebben Redlich en ik ons programma voor het zomerfeest aan Walrika gepresenteerd, en ze was enthousiast. We moesten het precies uitvoeren zoals we het hadden opgeschreven en de mensen indelen zoals wij dachten dat het goed was. Dat deden we. Mevrouw Stemmerle moet nu versieringen voor op tafel knutselen en wat denk je: ze zit erbij te glimlachen. Florian hebben we ingedeeld om werk in de tuin te doen, want die moet natuurlijk ook goed voor de dag komen op het feest. Eerst zat hij wel te mokken, die Florian. Maar toen we hem lieten kiezen tussen tuinieren en zwijgen, of knutselen en praten, was hij er snel uit. En nu staat hij buiten in de tuin, in een groene tuinbroek die uitstekend past bij zijn rode wangen. Perfect. Verder is er eigenlijk geen nieuws, ik ga morgen uitslapen, ontbijten en heel dicht bij de bank blijven.

O ja, Redlich heeft een ander parfum. Yes!

Donderdag, 11 mei

Ik heb een hele tijd niets geschreven, en nu ga ik het ook niet over de dagelijkse sleur hebben. Ik zal meteen zeggen waar het om gaat. Je wist het zeker al veel eerder dan ik, hè Max? Ik denk al vanaf dag één, toen ik je over haar vertelde. Heb je zeker weer op een briefje geschreven, of niet, Max? Die briefjes die we altijd schreven als we een meisje hadden leren kennen, waarop we allebei onze voorspelling schreven, ik weet niet hoeveel keer. We voorspelden of de ander wel of niet succes bij haar zou hebben. Als we dachten van wel dan schreven we 'Bingo!' en anders 'Vergeet 't maar!' Jouw score was onwaarschijnlijk hoog. Je had met al mijn bingo's gelijk en ook met mijn blauwtjes zat je er bijna nooit naast. Als de zaak duidelijk was, dan rolden we de opgerolde briefjes uit om te zien wat de ander gegokt had. We hadden er een hoop lol om.

Ik heb je nu bijna een week niet geschreven, maar dinsdag voor mijn werk was ik bij je. Toen vertelde ik je al wat er was gebeurd, en ik had weer eens helemaal het gevoel dat je lag te grijnzen. Op dat moment schoten me die briefjes weer te binnen, omdat je net zo grijnsde als toen, als je goed zat met je voorspelling. Precies zo lag je dinsdag te grijnzen, ik zweer het. Nou ja. In elk geval schrijf ik het nu ook nog op, en hoewel ik het zwart-op-wit op papier zet, kan ik het nog steeds niet geloven. Omdat ik het nooit van mijn leven had verwacht, Max. Maar het is waar.

Maandag, 8 mei, had ik de beste seks van mijn leven. En wel met Psycho-Redlich. En wel bij de Rarevogels! Zo, dat is eruit. We kwamen elkaar even voor middernacht puur toevallig tegen in de gang, in de nauwe doorgang voor de personeelskamer. We persten ons langs elkaar heen en zomaar ineens stortten we ons in het halfdonker op elkaar, alsof er geen morgen bestond. We wisten het nog te redden tot haar kamer, waar we bovenaardse, magische seks hadden. Al het voorgaande valt erbij in het niet. Ze is de koningin van de wellust en ik ben misschien wel haar dienaar tot het bittere einde van mijn leven. Je kunt je vast voorstellen dat het er in de nachtdiensten daarna net zo aan toeging en dat ik daarom ook pas vandaag toekom aan schrijven.

Redlich is er namelijk niet (ze heet trouwens Iris). Walrika kreeg vanavond in de kamer van Iris Redlich een aanval van razernij die niet misselijk was. Ik heb er jammer genoeg niets van gemerkt, want de deur is aan de binnenkant bekleed. Toen Walrika de kamer uit kwam hoorde ik Iris Redlich alleen nog zeggen: '... dat zullen we dan wel zien, zuster Walrika', en Walrika antwoordde: 'Ja, in godsnaam, dat zullen we inderdaad, mevrouw Redlich!' Even later stapte Iris Redlich in haar auto en ze scheurde met piepende banden weg.

Later op het balkon zei Walrika tegen me: 'In je vrije tijd kun je doen wat je wilt, Niels. Maar het tehuis is geen plek voor een goedkope affaire, snap je, absoluut niet zelfs. En zorg er met die smeerlapperij in godsnaam niet voor dat ik mijn respect voor je kwijtraak, en de vertrouwdheid die ik bij je voel. En dan heb ik het nog niet eens over het feit dat Redlich ruim tien jaar te oud voor je is.' Ze drukte haar sigaret uit en liet me voor gek staan op dat stomme balkon, zonder me ook maar de kans te geven om te antwoorden. Wat had ik ook moeten zeggen? 'Sorry, maar we hebben toch alleen een beetje geneukt'? Nee, dat kon natuurlijk niet. Ze zei trouwens helemaal niets over hoe ze weet wat ze weet. Zo zie je maar weer, Max, zodra er een vrouw in het spel is, begint het gedonder. Meld me morgen weer.

Hé, Max, dat gegrijns van jou laatst toen ik je dat verhaal vertelde, kreeg ik niet meer uit mijn kop. Ik vroeg Justin of hij dacht dat het kon. Dat je in sommige situaties grijnsde. Hij zei dat ik niet goed snik was en moest oppassen dat ik niet doordraaide. Het zou jammer zijn als ik als bewoner van de Rarevogels eindigde, zei hij.

Daarna vroeg ik het aan je moeder, en ze zei dat je vaak glimlachte. Ze had het zelf ook gezien in allerlei situaties. Nou ja.

Uiteindelijk hield ik het niet meer en ik klopte aan bij dokter Snor. Hij liet me binnen en luisterde naar mijn vraag. Hij zat achter zijn enorme bureau, draaide aan zijn snor, keek over zijn bril en zat heel kalm te luisteren. Toen stond hij op en liep naar het raam. Hij keek naar buiten en kruiste zijn armen achter zijn rug. Na een tijdje zei hij: 'Ik ben jaloers op je, jonge vriend, heel jaloers. Het is iets prachtigs, iets onbetaalbaars en jammer genoeg iets heel zeldzaams wat hier gebeurt, weet je. Vrienden als jij zijn inmiddels allang uitgestorven, helaas. En dat bedoelde ik ook met mijn opmerking van laatst, toen ik vroeg: "Alleen goede vrienden, hè?" De klemtoon lag op "alleen", weet je. Je zei dat jullie "alleen" goede vrienden waren. Je had moeten zeggen: we zijn godzijdank goede vrienden en niemand ter wereld kan tussen ons komen! Want zo is het toch, of niet? Niemand kan tussen jou en hem komen. Je zou liever een heel ziekenhuis platgooien dan je door iemand laten tegenhouden om naar hem toe te gaan, nietwaar? Echt, ik ben heel jaloers op jullie allebei. Het is een godsgeschenk. Ga daar zorgvuldig mee om.

En wat dat glimlachen betreft, ik kan je zeggen dat bijna alle patiënten die uit een coma komen zich elk detail haarfijn kunnen herinneren. En als ze zich dat kunnen herinneren, dan moeten ze het eerst gemerkt hebben, nietwaar?' Daarna draaide hij zich om en bedankte me voor mijn bezoek.

Toen ik de deur uit liep, was ik een beetje in de war. Ik liep naar je kamer, ging op de rand van je bed zitten en keek je lang aan. Ja, die snor had gelijk, het is een godsgeschenk. En ik had hem totaal verkeerd begrepen. Stom van me.

Maandag, 15 mei

Het is nu even voor drieën 's nachts. Ik was net bij mevrouw Stemmerle, we hebben een beetje met Jasmin zitten kletsen. Vanavond gaf Iris Redlich me het dossier van Florian en zei: 'Hier, dat probeer je toch al de hele tijd te pakken te krijgen?' Verder zei ze niets. Ze legde het dossier op de keukentafel en reed even later weer met piepende banden weg.

Nadat ik met Walrika op het balkon was geweest, heb ik thee met melk voor mezelf gemaakt en me verdiept in Florians leven tot nu toe. Het dossier was best dik en ik heb lang zitten lezen. Maar eigenlijk staat er alsmaar hetzelfde in. Op één uitzondering na, en die was niet misselijk. Het verklaart waarom die jongen is zoals hij is. Dit wens je je ergste vijand niet toe, Max. Florian heeft toen hij vier was gezien hoe zijn vader zijn moeder doodde en daarna zichzelf. Met een pistool, zijn dienstwapen om precies te zijn. Florians vader was politieagent. Het was niet zijn bedoeling dat zijn zoontje het zou zien. Integendeel. Hij deed het op een moment dat Florian allang op de kleuterschool had moeten zijn. Waarom hij daar niet was, blijkt jammer genoeg niet uit de papieren. In elk geval had Florians moeder hem thuisgehouden, en toen zijn vader met getrokken wapen het huis binnenkwam, vastbesloten om te doen wat hij van plan was, zat dat jongetje op de vloer van de woonkamer met lego te spelen. Het ging allemaal heel snel. Zijn vader kwam de woning binnen en schoot meteen. Hij keek nog even of zijn vrouw echt dood was en schoot toen zichzelf dood, voordat Florian ook maar een kik had kunnen geven. Dat was rond twaalf uur 's middags.

Tot de volgende ochtend zat die jongen bij zijn dode ouders weet ik wat te doen. Daarover staat jammer genoeg ook niets in het dossier. Pas de dag daarna pakte Florian de telefoon, want die ging over. Het was zijn oma, die naar zijn moeder vroeg. Florian zei dat mama er niet was en papa ook niet en hing op. Oma ging kijken en vond wat er te vinden was. Dat is eigenlijk het enige wat ertoe doet.

De ontelbare andere papieren in het dossier vertellen steeds hetzelfde verhaal. Florian woonde daarna bij zijn oma, tot ze met haar gezondheid begon te sukkelen. Hij verhuisde naar de Rarevogels en zij naar het ziekenhuis, waar ze uiteindelijk is gestorven. Ze liep zich al die jaren het vuur uit de sloffen voor die jongen, en hij zei geen woord. Er zijn tig rapporten van tig psychologen, het ene na het andere verslag met vaktermen die ik me nu al niet meer kan herinneren, maar eigenlijk komt het er steeds op neer dat Florian niets zegt. Dat was dus blijkbaar altijd al zo en dat stelt me een beetje gerust, want ik heb een hele tijd gedacht dat hij pas is gaan zwijgen toen hij bij de Rarevogels kwam.

Dinsdag, 16 mei

Jammer genoeg moest ik gisteren ineens stoppen met schrijven. Een van de bewoners was aan de wandel, en die moest ik duidelijk zien te maken dat het tijd was om te slapen. Het is een vrouw die je nog niet kent, mevrouw Obermeier, en het is eigenlijk ook niet erg belangrijk. Maar ze dwaalde 's nachts in haar ochtendjas door de gangen en trok met haar geschuifel mijn aandacht. Ik vond haar vrij snel en probeerde haar met engelengeduld over te halen om weer naar bed te gaan. Maar het had geen zin. Sterker nog, ze ging in kleermakerszit op de grond zitten en lachte zich dood. Omdat mevrouw Obermeier niet bepaald een bezemsteel is, maar eerder nogal mollig, kreeg ik haar ook niet met mijn beproefde hefboomtechniek van die ellendige vloer. Het zweet liep in mijn bilnaad en zij begon steeds scheller en luider te lachen. Zo ging dat een poosje door. Mevrouw Obermeier zat daar maar te lachen en ik was aan het trekken en sjorren en praatte me ondertussen schor om haar zover te krijgen dat ze haar verstand ging gebruiken. Op een gegeven moment plaste zij van het lachen op de vloer en draaide ik mijn arm uit de kom. En dat deed pijn, man, daar zijn geen woorden voor. Ik zakte door mijn knieën en hield mijn arm vast. Toen stond mevrouw Obermeier op, maakte de ceintuur van haar ochtendjas los en wikkelde die om me heen. Ze snoerde hem heel stevig vast en bleef ondertussen maar lachen. Het werd nogal lawaaiig op de gang, want ik gilde het nu uit van de pijn. Ik kon niet anders! Natuurlijk gingen de kamerdeuren één voor één open en kwamen de bewoners kijken wat er aan de hand was. Nou ja.

Het werd een grote drukte en iedereen boog zich over me heen om me bemoedigend op mijn ontwrichte schouder te slaan. Zo zat ik geknield op de vloer, geboeid met de ceintuur van een ochtendjas, met tranen in mijn ogen en allemaal gekken om me heen. Pas jaren later, leek het, verscheen in het schemerduister eindelijk de zeer welkome Walrika in een golvend nachthemd met bloemetjes, en was mijn leven gered. Ze klapte een paar keer in haar handen en iedereen verdween onmiddellijk naar zijn kamer. Ook mevrouw Obermeier. Ze stopte met lachen en ging gewoon naar haar kamer. Alsof er niets was gebeurd. Walrika hielp me overeind, ging achter me staan en duwde zonder waarschuwing mijn arm vakkundig weer in de kom, wat zo'n pijn deed dat ik haar een 'godvergeten slager' noemde. Ze smeerde er nog een pijnstillend zalfje op en ging in haar golvende bloemetjesnachthemd terug naar haar kamer (die in het verst afgelegen deel van het huis is, vandaar de late redding). Ze liet het aan mij over om de vloer en mevrouw Obermeier schoon te maken.

Het was een horrornacht, Max, dat kan ik je wel vertellen. En nu zit ik weer in de keuken van de Rarevogels met kloppend hart te luisteren of ik mevrouw Obermeier hoor schuifelen. Vanochtend bij het ontbijt, toen mevrouw Stemmerle vanwege mijn kapotte schouder de broodjes smeerde, kwam mevrouw Obermeier op me af. Ze boog zich naar me toe en zei grijnzend dat ze al heel lang niet meer zoveel plezier had gehad, en dat ze zich nu al op vannacht verheugde. Ze gaf me nog een knipoog ook. Echt eng.

Vandaag vertelde ik het op het balkon aan Walrika en die zei: 'Stel je in godsnaam niet zo aan, Niels. Je moet wel goed uit elkaar houden wie hier welke functie heeft. Als je je het heft uit handen laat nemen, is het onvermijdelijk dat het verkeerd afloopt.' En: 'Het is jouw manier van optreden, Niels. Als jij onze gasten de indruk geeft dat je hun maatje bent, dan word je ook zo behandeld, snap je? Met maatjes maak je nu eenmaal plezier, hè. En je hebt gehoord dat mevrouw Obermeier geweldig veel plezier had afgelopen nacht.'

Zo, Max, dat was het voor vandaag. Tot nog toe is alles rustig hier, het is tijd om mijn ronde te doen en daar zie ik erg tegenop.

Zaterdag, 20 mei

Vandaag kom ik er eindelijk weer eens aan toe om je iets te schrijven, Max. Het was best een vermoeiende week, ik was ook elke dag bij je en heb alles al verteld. Maar je reageerde niet. De afgelopen nachten ben ik goed doorgekomen, mevrouw Obermeier sliep als een roos en bleef braaf op haar kamer. Van Iris Redlich hoorde ik dat mevrouw Obermeier die nacht, mijn horrornacht, haar medicijnen niet had gekregen. Dat was absoluut mijn eigen schuld, ik heb het schaaltje tabletten op haar nachtkastje gezet en ben er helemaal van uitgegaan dat ze ze zou innemen. Gebeurt me niet nog eens.

Woensdag na het ontbijt, tussen mijn dienst en die van

Iris Redlich, zijn we met haar auto naar het bosje achter het tehuis gereden en daar hebben we het gedaan. Toen we klaar waren tikte de boer van de Natuurhoeve op de totaal beslagen autoruit en vroeg of we binnenkort weer roomkaas nodig hadden bij de Rarevogels. Jezus, wie weet hoe lang hij daar al stond! Iris Redlich (stom genoeg lukt het me niet om haar alleen bij haar voornaam te noemen, geen idee waarom) bracht me naar huis en ging daarna door naar het werk. Ze wil nu steeds iets samen doen als we allebei vrij hebben. En ze begrijpt totaal niet dat ik daar geen tijd voor heb. Alleen al door onze diensten is het onmogelijk, en in het weekend gaat het helemaal niet. Dat heb ik voor mezelf nodig. En voor jou, Max.

Deze week kwam ik in het ziekenhuis ook Nele en Peter tegen. Toen ik binnenkwam zaten ze allebei aan een kant van je bed met elkaar te fluisteren. Zodra ze mij zagen, stonden ze op en zeiden dat ze toch weg moesten omdat ze er al zo lang waren. Dat gebeurde twee keer deze week, steeds Peter en Nele.

Mevrouw Stemmerle was gisteren jarig en als cadeau wilde ze dat ik iets voor haar zou spelen op de trombone. Ik vroeg natuurlijk wat ze dan wilde horen. Ze zei dat ze maar één liedje kende: de taptoe uit *From Here to Eternity*, een van haar lievelingsfilms. Die speelde ik voor haar en ze was er blij mee. De andere bewoners ook, die zaten allemaal te klappen. Nou ja.

Mijn vader heeft me trouwens de muziekboeken uit Spanje gestuurd. Het zijn er vier, waarvan maar eentje voor trombone: *Trombone voor beginners* in het Spaans, met de 'Geestelijke stukken' erin die hij me jaren geleden al eens in het Duits heeft gestuurd. Toen vond ik er al geen flikker aan. De andere boeken zijn voor een heel orkest of zo, maar hij heeft de passages voor trombone met een markeerstift aangestreept. Hij lijkt maar niet te begrijpen dat als een trombone dan per se moet, je er in elk geval jazz op moet spelen. Ik heb dat ding echt gehaat, tot ik *The Glenn Miller Story* op tv zag en doorkreeg dat je er echte muziek mee kon maken.

Zo, Maxim, Justin komt me straks halen, we willen nog even naar het grindgat. Eens kijken hoe het met de temperatuur van het water staat (buiten is het al dagen achtentwintig graden). Daarna gaan we naar jou toe. Tot dan.

Dinsdag, 23 mei

We waren zaterdag nog bij je, Justin en ik, maar niet zo lang. Je ouders waren er en blijkbaar iedereen die ook maar in de verste verte familie van jullie is. In elk geval was het stampvol in je ziekenhuiskamer. We gingen er meteen weer vandoor, maar eerst stelde je moeder ons nog uitgebreid voor aan ooms, neven en weet ik veel wie nog meer. Er waren ook een paar kinderen die een heleboel lawaai maakten.

We reden weer terug naar het grindgat (het water is absoluut nog te koud om te zwemmen) en opeens kwam Justin in een soort dip. Hij zat maar zo'n beetje op de oever naar het meer te staren en stenen te keilen. Uiteindelijk kwam het eruit: dat hij eigenlijk altijd maar het sukkeltje was en er een beetje bij hing, en we hem alleen als vriend wilden omdat zijn ouders een partyservice hadden. Hij zei dat hij schijt had aan die hele partyservice en dat hij liever eerlijke vrienden had, niet alleen mensen die daarop kicken. Ik begrijp niet goed hoe hij daarbij komt, want afgezien van zijn achttiende verjaardag en laatst bij jou in het ziekenhuis hebben we nooit enig voordeel gehad van die stomme partyservice. Maar hij zei dat Peter Rick had en ik jou en dat hij gewoon altijd het vijfde wiel aan de wagen was. Ik heb dat nooit zo gezien. We deden toch altijd het meeste samen, of niet? Nou ja. Hij zei dat het allemaal klote was en dat hij er hoognodig eens uit moest. Hij denkt erover om een paar weken naar Nieuw-Zeeland te gaan om Michel op te zoeken. Hij meent het, hij heeft zelfs al geïnformeerd naar prijzen en zo. Daarna kleedde hij zich uit en sprong poedelnaakt in het water.

Maandag, 29 mei

Hallo Maxim,
Mei is nu bijna voorbij en jij ligt daar maar en merkt het niet eens. Je ruikt geen sering en geen regen, die nu heel anders ruikt dan de rest van het jaar. De zon die fel je kamer in schijnt, de vogels die buiten aan het fluiten zijn – niets krijg je ervan mee. Je merkt het niet eens als die hele stomme familie van je hier een bijeenkomst organiseert en letterlijk over je hoofd heen ouwe koeien uit de sloot zit te halen en koekkruimels op je bed morst.

Hé, Max, eergisteren was ik de hele dag bij je. Het was zulk mooi weer dat ik wel dacht dat je alleen zou zijn. Je kunt het tenslotte niemand kwalijk nemen dat hij liever gaat zwemmen dan aan jouw ziekenhuisbed op een wonder te zitten wachten.

Ik heb zitten wachten, de hele dag. Ik las je de sportberichten uit de zaterdagkrant voor en mijn brief aan jou, tot waar ik gekomen was. Ik zette het raam wagenwijd open om de heerlijke zomerlucht binnen te laten. Af en toe kwam een van de verpleegsters de kamer in om je te verleggen en al je aansluitingen te controleren; eentje met een vriendelijke glimlach (die streelde me trouwens over mijn haar), en een ander met een gezicht dat zei: het is superlekker weer buiten en ik sta hier in dit pestziekenhuis infuusflessen te controleren! Maar dat vonden wij niet erg, hè, Max?

Op een gegeven moment trok ik mijn schoenen uit en ging naast je op bed zitten, aan het voeteneinde met mijn benen gestrekt. Ik heb lang naar je gekeken, Max. Je ligt daar maar, totaal ontspannen. Je komt echt heel tevreden over. Je voorhoofd is helemaal glad, en de rimpeltjes die je hebt als je nadenkt of je ergens aan ergert, zijn niet te zien. Niet eens heel vaag. Je ogen zitten zoals gewoonlijk niet helemaal dicht, en als ik zou willen, zou ik je oogbollen kunnen zien. Maar dat wil ik niet. Omdat dat geen fijn gezicht is. Omdat je me dan aankijkt zonder me te zien. Het is mooi hier. Een zacht windje waait door de takken van de oude kastanje voor je raam en blaast de gordijnen naar binnen. En de zon werpt dansende schaduwen op de muren. Het is rustig, ook buiten op de gang. Af en toe voetstappen, zelden een deur.

We lagen daar naast elkaar van de dag te genieten. Uiteindelijk viel ik in slaap. Tegen zeven uur werd ik gewekt door je moeder, die meteen begon te foeteren omdat ik met mijn sokken op je kussen lag. Ze haalde me zo uit mijn slaap, ik was in de war en dus schreeuwde ik tegen haar: 'Het is uw zoon die hier ligt te verrekken. En waar was u de hele dag. Nou?' Daarna trok ik mijn schoenen aan en ging weg.

O ja, Justin heeft contact opgenomen met Michel in Nieuw-Zeeland. Die was heel blij. Justin moest ook de hartelijke groeten doen aan ons allemaal, en die geef ik hierbij door. Michel weet nog niets van je ongeluk, Justin wilde het hem niet zo door de telefoon zeggen. Nu hij contact heeft opgenomen, zal hij wel gauw bij Michel op de stoep staan, denk ik.

En nog iets: Peter en Nele waren weer samen bij je. Ik zag ze door het raampje in de deur van je kamer en heb buiten staan wachten tot ze weg waren. Ik vind het om de een of andere reden niet leuk om die twee steeds samen te zien.

Bij de Rarevogels niets nieuws, behalve dat ik nu altijd op de Zündapp naar mijn werk ga in plaats van op de fiets. Ik weet niet waarom, ik denk dat het komt door de piepende banden van Iris Redlich. Blijkbaar moet ik mijn mannelijkheid bewijzen. Toen ik gisteravond bij de Rarevogels aankwam stond ze me op te wachten en vroeg of ze een keertje achterop mocht. Daarbij streelde ze heel licht over de tank en keek me veelbelovend aan. Ik zei toen: 'Hier komt geen vrouw op. Nooit. Over mijn lijk!' Dat zei ik echt: 'Over mijn lijk.' Ze trok haar wenkbrauwen op en liep weg.

Ik heb trouwens mijn excuses aangeboden aan je moeder, dezelfde dag nog. Ik zei dat het me erg speet. En ze reageerde precies zoals ik verwachtte. Ze zei alleen maar: 'Ik weet het, Niels.'

Zo. Genoeg voor vandaag, meld me morgen weer.

Vrijdag, 2 juni

Tja, nu zit deze week er ook bijna op en ik ben blij dat het straks weekend is. De afgelopen dagen was ik om verschillende redenen bijna niet bij je. Ten eerste kom ik verdomme slaap tekort en sta ik steeds pas aan het eind van de middag op. Iris Redlich heeft zich namelijk heilig voorgenomen om elke dag haar middagpauze te komen veraangenamen bij mij thuis, wat ik natuurlijk niet naar vind, maar aan slapen kom ik niet meer toe.

Ten tweede zag ik telkens als ik voor je deur stond tot mijn schrik dat je al werd belegerd (je ouders, allerlei onbekenden, Nele en Peter, Nele en Peter, en Nele en Peter. Ik krijg er de zenuwen van!).

De voorbereidingen voor het zomerfeest bij de Rarevogels zijn in volle gang, en onder de bewoners blijkt een aantal hoogbegaafde knutselaars te zijn. Geloof het of niet, maar mevrouw Stemmerle is zo'n beetje de voordoe-oma geworden. Ze gaat bij de mensen zitten, geeft bruikbare tips of laat handige trucjes zien. We hebben inmiddels zoveel versieringen dat we de deur naar de linnenkamer (waar de spullen worden bewaard) bijna niet meer open krijgen.

Ja, en Florian is uitgegroeid tot een uitstekende tuinman. De tuin van de Rarevogels was toch al een lust voor het oog, maar wat die jongen ervan gemaakt heeft, is echt verbluffend. Alles groeit en bloeit. Hij praat nog steeds niet (tenminste niet met mensen, wat de planten betreft zou ik er niet om durven wedden), maar hij heeft een taak die hem helemaal in beslag neemt en soms zelfs een glimlach op zijn gezicht tovert. Aanstaande zondag is het zomerfeest, iedereen is al heel opgewonden en ik heb beloofd een paar stukken op de trombone te spelen. Ik moet nog een beetje oefenen, er komt ook iemand van de krant en dan wil je toch niet voor gek staan. Dat er niet op maandag in staat: 'Ongetalenteerde verpleger kwelt psychisch labiele personen met zijn trombone'. Nee, dat zou ik niet willen.

Ik probeer vanavond voor mijn dienst weer eens bij je langs te gaan, ik hoop heel erg dat het lukt. Ga nu naar mevrouw Stemmerle, het is halfdrie.

Maandag, 5 juni

Dag Maxim,
Jammer genoeg had ik ook vrijdagavond geen geluk, deze keer waren die snor en de verpleegsters bij je om je aansluitingen te controleren, en dat duurt altijd een eeuwigheid. Dus ben ik zaterdag heel vroeg opgestaan om nog eens naar het ziekenhuis te gaan, maar toen stonden die snor en de verpleegsters er alweer. Gelukkig duurde het niet lang, en ik kon vrij snel naar binnen. Maar daarna kwam die snor terug en bleef naar ons staan kijken. Hij stond daar maar aan zijn snor te draaien. Op een gegeven

moment zei hij: 'Hoe heet je eigenlijk? Ik ken je jammer genoeg alleen als vriend van meneer Ellmeier.' Ik zei: 'Ik heet Niels. En hij... hij heet Maxim.'

Hij draaide aan zijn snor, keerde zich om en liep naar de deur. Vlak voordat hij de gang op liep, zei hij: 'En ik heet Klaus.' Toen liep hij door en deed de deur achter zich dicht, die Klaus.

In elk geval hadden we nu rust en kon ik je de sportberichten voorlezen. Even later kwam een verpleegster me een kop koffie brengen en zei dat die van dokter Klaus Snor was. Super, hè?

's Middags haalde ik bij me thuis de trombone tevoorschijn om te oefenen. Eerst ging het heel goed, ik oefende een stuk dat wel geschikt zou kunnen zijn voor een zomerfeest in een psychiatrische inrichting, maar jammer genoeg raakte ik weer verzeild in een soort jazzy rock-'n-roll, ik kon me gewoon niet concentreren. Op een gegeven moment belde mijn buurman aan, en die zei dat hij me de hersens in zou slaan als ik niet meteen stopte met dat gejank. En wel met de trombone. Dus reed ik met het stomme ding naar het bosje achter de Rarevogels. Maar daar ging het net zo. Eerst de klassieke klanken, heel soeverein, daarna jammer genoeg weer jazz. Mijn handen en lippen doen wat ze willen en niet wat mijn hersens ze opdragen, het is om beroerd van te worden. Met al dat getoeter heb ik vast de boer van de Natuurhoeve nieuwsgierig gemaakt, want die stond plotseling naast me en zei: 'Als ik je één raad mag geven, knul, speel jazz. Van serieuze muziek heb je geen kaas gegeten!'

Ja, die heeft makkelijk praten! Walrika zei dat áls ik het feest dan per se muzikaal moest opluisteren, dan in godsnaam met iets degelijks. Het was hier tenslotte geen jongerencentrum. En, zei ze, in het reglement van het tehuis staat dat 'het bespelen van luidruchtige muziekinstrumenten in het algemeen verboden is, maar vooral wanneer het stukken betreft die een agressief karakter hebben'. Uiteindelijk heb ik de trombone ingepakt en ben naar huis gegaan.

Vreemd genoeg ging het op zondag allemaal erg goed. Ik speelde twee stukken, van Schütz en Pachelbel, en de bewoners applaudisseerden. Die man van de krant maakte foto's en stelde me een paar vragen. Jammer genoeg stonden de foto's vandaag niet in de krant (tenminste niet die met mij erop) en in het artikel werd ik ook alleen in het totaalplaatje genoemd: het verplegend personeel, dat onbaatzuchtig en liefdevol voor zijn gasten zorgt... Maar van de kop werd ik wel blij, Max. 'Zomerfeest bij de Rarevogels' stond erboven.

Na mijn optreden heb ik trouwens nog even met mevrouw Stemmerle zitten praten. Ze had een vraag. Of ik een keer naar de Starnberger See wilde rijden, naar haar oude villa, om te kijken of alles in orde is. Ze zei dat het een vertrouwenskwestie was en dat ze graag wilde dat ik die taak op me nam. Ze zei ook dat ze niet wist of haar zoon daar nog woonde, omdat ze geen contact met hem had. Ze drukte de sleutel in mijn hand en vroeg me dringend een keer te gaan kijken. Zo gauw ik tijd heb, zal ik dat doen.

O ja, die man van de krant had behalve een overzichtsfoto van het feest ook een foto van Florian gemaakt. Florian voor een prachtig bloeiende rododendron, leunend op een hark, gaaf hè? Maar ook met hem heeft Florian geen woord gewisseld.

Zo, nu is het zomerfeest afgelopen en alles is goed gegaan, denk ik. Ik kan me weer bezighouden met de belangrijke dingen in het leven. Maar de bewoners hebben niets meer te doen, bedacht ik. Ze hoeven in elk geval niet meer te knutselen want we stikken van de spullen. Ik zie wel, misschien doet zich wat anders voor. Vandaag ga ik vóór mijn werk even naar het grindgat, de temperatuur van het water is nu best lekker.

Donderdag, 8 juni

Het is weer eens ver na middernacht en ik schrijf dit bij de Rarevogels. Eergisteren belde Rick me 's ochtends vroeg, op het tijdstip dat ik normaal gesproken net in slaap val. Ik ging flink tegen hem tekeer, hij wist toch dat ik nachtdienst had, maar hij zei dat hij me natuurlijk niet gestoord zou hebben als het niet belangrijk was. Hij vroeg of ik met hem mee wilde gaan naar het ziekenhuis. Alleen durfde hij niet, vanwege dat stomme toegangsverbod. Een paar keer had hij op goed geluk voor de ingang staan wachten, maar er was jammer genoeg niemand langsgekomen met wie hij mee naar boven kon. We spraken af dat we elkaar de volgende dag voor het ziekenhuis zouden ontmoeten.

Toen ik van de parkeerplaats naar de ingang liep, zag ik hem nergens. Ik deed rustig aan, want ik had geen zin om lang te staan wachten. Pas toen ik dichterbij kwam herkende ik hem, eigenlijk alleen omdat hij met zijn armen stond te zwaaien. Jezus, Max, hij had een donkere zonnebril op, een pet diep over zijn ogen getrokken en een baard. Ja, echt waar, hij had een baard, en niet zo een-tje die je vastplakt, nee! Hij had een echte, vrij volle, pik-zwarte baard. Ik denk dat ik een tijdje naar hem heb staan staren, want op een gegeven moment zei hij: 'Sta me niet zo aan te staren!' Dus hield ik daarmee op en vroeg wat die verkleedpartij te betekenen had en waarom hij opeens een baard liet staan. Hij antwoordde: 'Nou, voor Max, zodat niemand me herkent. Vanwege dat stomme toegangsverbod.'

Daarna gingen we naar boven en niemand herkende hem, zelfs je moeder niet. Ze stelde zich aan hem voor alsof ze hem voor het eerst ontmoette. Hij zat een hele tijd op de rand van je bed, beet op zijn nagels en ratelde aan één stuk door. Ik zat op de vensterbank naar buiten te kijken. Ik wilde me er niet mee bemoeien. Ik had het idee dat Rick je heel wat te vertellen had, en daarvoor had hij veel moeite gedaan, Max. Ik had een dikke brok in mijn keel.

Maandag, 12 juni

Gisteren ben ik op de Zündapp naar de Starnberger See ge-reden. Ik moest lang zoeken naar de oude villa van me-vrouw Stemmerle, hij staat erg achteraf en is overwoekerd als het kasteel in *Doornroosje*. Maar uiteindelijk vond ik hem toch en ik moet zeggen, het is daar in één woord ge-weldig. Het terrein ligt vlak aan het meer en de tuin staat vol oude bomen. Ik ben ook bij het water geweest, waar

Jasmin is gestorven, en heb uit naam van mevrouw Stemmerle een minuut stilte voor haar gehouden. Binnen ligt
een dikke laag stof, maar je kunt je toch wel voorstellen
hoe fijn het er ooit moet zijn geweest. De muren hangen
vol schilderijen en rekken met kostbaar aardewerk, waar
je ook kijkt. En overal liggen lappendekens in allerlei
kleuren, die vast met de hand gemaakt zijn. Op een dres-
soir ontdekte ik een heleboel familiefoto's in dure lijstjes.
Met op de meeste een klein meisje, ik denk Jasmin. Zwart
haar en een perzikhuidje, het is goed te begrijpen dat alles
in de familie om haar draaide. Ik nam een van de foto's
mee en hoopte dat mevrouw Stemmerle het goed zou vinden. Verder nam ik nog een hele mand met wol en brei-
naalden mee, misschien dat ze wat kon gaan handwerken
nu het geknutsel achter de rug was. Ik liep nog even naar
het meer, gewoon omdat het uitzicht zo mooi was. En
daar stond ik dan met de wol en de foto naar het meer te
staren.

Opeens sloeg iemand me van achter op mijn schouder.
Toen ik me omdraaide, stond er een man van middelbare
leeftijd, en ik wist meteen dat het de zoon was. De zoon
van mevrouw Stemmerle en de vader van Jasmin. Hij
wilde natuurlijk weten wat ik daar te zoeken had. Ik
stelde me kort voor en legde het uit. Toen vertelde hij dat
hij er elke zondag kwam, niet vanwege het huis, maar om
een paar bloemen in het water te gooien. Dat deed hij nu
ook. Zwijgend keken we hoe de bloemen langzaam weg-
dreven.

Voordat ik ervandoor ging, vroeg ik of hij niet eens op
bezoek wilde komen bij zijn moeder, omdat ze daar echt
heel blij mee zou zijn. Maar hij antwoordde: 'Mijn moeder

heeft haar hele leven niets uitgevoerd. Behalve een beetje handwerken misschien. Verder niets. Ze had een werkster, een tuinman en nog allerlei ander personeel. Zelf heeft ze nooit iets hoeven doen. Op Jasmin passen was de enige taak in haar leven. Meer vroeg niemand van haar. Is het verdomme nog te veel gevraagd om op een meisje van acht te passen?' Hij was steeds harder gaan praten en op het eind stond hij te schreeuwen. Dat was akelig.

Daarna stapte ik op de Zündapp en reed met de wol en de foto in mijn rugzak naar huis. Mevrouw Stemmerle was er blij mee. Ze zei wel dat ze Jasmin in haar hart had, maar was toch blij met de foto. Ik vertelde niet dat ik haar zoon had ontmoet. Tenminste, niet aan haar. Ik zei het op het balkon tegen Walrika. Ze luisterde aandachtig en zei uiteindelijk: 'Je gaat daar aanstaande zondag nog een keer naartoe, Niels. En eerst kom je naar hier, begrepen? We zullen meneer Stemmerle in godsnaam eens tot rede brengen, wat vind jij?'

Ik knikte alleen maar.

Woensdag, 14 juni

Hé, Max, moet je horen, ik kreeg vandaag een telefoontje uit Nieuw-Zeeland. Raad eens van wie? Justin! En Michel natuurlijk, maar die woont daar. Justin belde om te zeggen dat hij meteen nadat hij contact had opgenomen met Michel een ticket had gekocht en was vertrokken. Hij had een time-out nodig en zou daar een paar weken blijven om lekker te genieten. Ik kreeg de indruk dat ze nogal dronken waren, het was trouwens midden in de nacht in

Nieuw-Zeeland. Michel zei dat hij het ontzettend jammer vond wat er met jou was gebeurd, maar dat klonk raar. Het is gewoon niet oké als iemand het lallend over een 'ongelooflijke tragedie' heeft. Eerlijk gezegd verstond ik het woord 'tragedie' helemaal niet, ik begreep het pas nadat ik had neergelegd. Hoewel hij het drie keer heeft herhaald. Maar zoals ik al zei, hij was aan het lallen, en dan ook nog half in het Engels: hij had het steeds over 'tretsji' of zoiets. Later schoot me dus te binnen dat hij vast 'tragedie' bedoelde.

In elk geval moest ik je de groeten doen, de hartelijke groeten, echt de hartelijke groeten, lalde Justin. Dat heb ik natuurlijk gedaan en ik heb je het hele verhaal verteld, maar je reageerde niet.

Maandag, 19 juni

Hallo Maxim,

Gisteren ben ik dus weer naar de Starnberger See geweest, zoals Walrika had gevraagd. Eerst ging ik natuurlijk langs de Rarevogels (dat had ze ook gevraagd). En wat denk je? Daar stond Walrika voor de deur met een helm op en een leren jack over haar habijt. Ze zei: 'Waar wacht je op, Niels? Help me in godsnaam op dat monster!' Ik wist totaal niet wat ik moest zeggen en deed gewoon automatisch wat ze zei. Ik moest de motor ongelooflijk schuin houden, zodat ze kon opstappen met haar korte beentjes. Het duurde ook een tijdje voor ze haar habijt zo had geschikt dat alles goed zat. Maar toen vertrokken we. Ik kon niets zien in mijn achteruitkijkspiegel, want haar sluier

73

wapperde in de wind en zat in mijn beeld. Op een gegeven moment stopte ik om te zeggen dat ze moest meeleunen in de bochten en niet tegenleunen, omdat we anders op onze plaat zouden gaan. 'Zoals je wilt,' zei ze, en daarna ging het goed. De rit duurde langer dan de week ervoor en ik weet niet of dat kwam doordat haar wapperende sluier voor meer weerstand zorgde of dat ik alleen voorzichtiger reed.

Maar goed, we zijn er gekomen. We liepen naar het meer en daar stond meneer Stemmerle de bloemen al na te kijken. Nadat ze zich aan elkaar hadden voorgesteld, vroeg Walrika meneer Stemmerle of ze hem heel even kon spreken. Na enig aarzelen ging hij met haar mee het huis in, ik bleef stenen keilen bij het water. Een poosje later kwamen ze weer naar buiten, en we liepen samen over het smalle kiezelpad naar de toegangspoort. Daar namen we afscheid en meneer Stemmerle vroeg met een blik op de Zündapp: 'Zijn jullie op de motor gekomen?' Walrika zei: 'Dat hebt u goed gezien, meneer Stemmerle. En vergeet in godsnaam niet om aanstaande zondag naar de Rarevogels te komen!'

Joost mag weten hoe ze dat voor elkaar heeft gekregen.

Daarna was ik nog bij je. Ik zette het raam wagenwijd open, want het was smoorheet in de kamer en je handen waren heel warm. Ik liet de heerlijke zomerlucht binnen en vertelde over mijn uitstapje. Daarna heb ik op de vensterbank naar de kastanje zitten kijken. Het was warm en rustig en ik hoorde alleen het sjirpen van de krekels.

De nacht is zo voorbij maar ik schrijf je nog snel voor ik het ontbijt moet gaan klaarmaken. Ik was gisteren voor mijn werk even bij je, en gelukkig was je alleen. Ik ging op de rand van je bed zitten om je een stukje uit mijn brief voor te lezen. Toen ik daar zo zat zag ik dat je hand helemaal blauw was. Ik raakte hem aan en hij was ijskoud. Dus ben ik je vingers gaan masseren. Jammer genoeg was de huid van je hand net zo droog als die van mij, zodat het heel stroef ging.

Toen kwam ik op het idee om vaseline te gaan vragen in de personeelskamer. 'Waar heb je vaseline voor nodig, als ik vragen mag?' vroeg de verpleegster. En ik zei: 'Ik wil mijn vriend masseren.'

Meteen toen ik het zei kon ik me wel voor mijn kop slaan. De verpleegster gaf me met een hoogrode kleur die stomme vaseline en ik masseerde er je handen mee. Maar je reageerde natuurlijk niet.

Verder is er eigenlijk niets gebeurd, behalve dat ik door de middagpauzes van Iris Redlich zo langzamerhand op mijn tandvlees loop. Die vrouw weet van geen ophouden, onvoorstelbaar. Ze zeurde trouwens omdat ik Walrika had meegenomen op de Zündapp. Daar wist ze van, net als iedereen bij de Rarevogels. We hebben hier geen geheimen voor elkaar. Ze zei: 'Ik dacht dat je geen vrouwen meenam op je geliefde motor?' En ik antwoordde: 'Zuster Walrika is geen vrouw. Ze is een engel.'

Daar had ze niet van terug, die Iris Redlich.

Gisteren heb ik de hele dag schoongemaakt, gewassen en gestreken. Ik had er eigenlijk geen zin in, zoals altijd, maar het was gewoon nodig. Tussendoor belden mijn ouders om te vertellen dat er een enorme hittegolf was in Spanje en dat ze het huis niet uit konden, of beter gezegd de enige kamer met airconditioning. Spanje kan doodvallen. Ze zeiden dat ze urenlang zaten te bidden om verkoeling en dat ze naar mij moesten komen als het nu niet gauw beter werd. Toen ben ik ook gaan bidden.

Ik vertelde mijn vader nog over mijn succesvolle optreden op het zomerfeest en hij was supertrots op me. Hij zei dat hij me binnen de kortste keren in Londen en New York op de planken zag staan als ik zo doorging. Toen ik net drie was en op mijn lichtgroene plastic trombone stond te blazen, had hij al geweten dat ik talent had. Hij was meteen de deur uit gerend om een professioneel blaasinstrument voor me te gaan kopen. Tja.

Trouwens, die collega met wie ik van dienst had geruild zei dat het uit was met haar vriend, en vroeg of we weer volgens het normale schema konden gaan werken. Dat kan ze vergeten. De nachten bij de Rarevogels zijn van mij!

Zondag, 2 juli

Je gelooft nooit wat er vandaag is gebeurd, Max. Vanmorgen belde Nele, ze zei dat ze in de buurt was omdat ze bij een vriendin had geslapen. Toen die naar haar ouders vertrok, had Nele per ongeluk haar autosleutel in het huis laten liggen. Ze wilde mij vragen of ik haar kon meenemen naar het ziekenhuis. Ik had er helemaal geen zin in, maar ik zette me eroverheen en zei tegen mezelf dat als Walrika op de Zündapp mocht, Nele ook wel kon. We kennen elkaar al vanaf de kleuterschool en ze is jouw vriendin. Nele kwam dus naar me toe en we dronken nog een kop koffie. Daarna vertrokken we.

Algauw viel me op dat Iris Redlich achter ons reed en ik dacht bij mezelf: dat is balen. Ze knipperde een paar keer met groot licht en kwam steeds vlak achter ons rijden. Idioot genoeg struikelde Nele ook nog bij het afstappen op de parkeerplaats en viel in mijn armen. Dat zag er voor een buitenstaander best raar uit, denk ik. Ik zei tegen Nele dat ze maar vast naar binnen moest gaan, en ik liep recht op de auto van Redlich af. Opeens gooide ze 'm in z'n achteruit en gaf vol gas. Toen stopte ze, waarna ik nog eens op haar af liep en ze weer wegreed. Zo ging dat een paar keer door, tot ik er uiteindelijk schoon genoeg van had. Ik liep naar de ingang van het ziekenhuis zonder me ook maar één keer om te draaien. Totdat ik banden hoorde piepen. Toen zag ik hoe Psycho-Redlich in volle vaart tegen mijn dierbare Zündapp reed. Hij kraakte en piepte en knarste, en ik dacht zelfs even dat hij kermde. Toen ik terugrende zette Redlich haar auto in z'n achteruit en schreeuwde uit het raampje: 'Je kunt mijn rug op.' En weg was ze.

Toen de sleepdienst kwam, moest ik huilen. De chauffeur had daar alle begrip voor. Daarna ging ik naar je kamer en vroeg Nele even op de gang te wachten, en dat deed ze. Ik vertelde je wat er was gebeurd en je lag te grijnzen, Max, zeker weten. Met zulke vrienden heb je geen vijanden nodig.

Zaterdag, 8 juli

Hallo Maxim,

Ik ben er jammer genoeg de hele week niet toe gekomen je te schrijven en ik was telkens ook maar even bij je. Maar ik heb alles ingehaald, de bezoekjes in ieder geval, want vandaag was ik er de hele dag. We waren een tijd alleen, je ouders gingen algauw weg nadat ik was gekomen, en ze waren pas laat op de avond terug. Nele en Peter zijn ook even geweest. Peter barstte in lachen uit en wilde het verhaal over mijn Zündapp gaan vertellen, dus toen moest ik hem er helaas uitgooien. Nele ging natuurlijk met hem mee.

Daarna waren we dus alleen en ik las je de sportberichten voor. Mijn brief jammer genoeg niet, die had ik thuis laten liggen. Vandaag regende het de hele dag en dat maakte mijn humeur er niet beter op. Ik was kwaad over de Zündapp, over Nele, Peter en weet ik wat nog meer. Op een gegeven moment heb ik jou eens flink de waarheid gezegd. Dat je nu eindelijk eens wakker moest worden en zo, en dat ik me hier helemaal voor niets schor zat te praten. Ik deed het vrij hard, geloof ik, want er kwam een verpleegster binnen die zei: 'Je moet wel aardig zijn, schreeuwen helpt niet. Dan trekt hij zich alleen verder terug.'

Ik schreeuwde tegen de verpleegster dat ze uit haar nek kletste, en waar ze dan wel dacht dat jij je zou terugtrekken. 'Verder terug gaat toch helemaal niet, stomme trut!' riep ik.

Dat leverde me natuurlijk meteen een bezoekje aan Klaus Snor op. Hij was heel aardig en begripvol, maar maakte me wel duidelijk dat het nu afgelopen moest zijn. 'We doen hier wat we kunnen, Niels,' zei hij. 'Maar we kunnen niet toveren. Dat Maxim daar zo ligt is niet onze schuld, maar van hemzelf. En ik accepteer niet dat jij mijn personeel afblaft, begrepen? Iedereen werkt hier keihard, vooral bij comapatiënten, en voor heel weinig geld. Dan mag je wel een beetje respect tonen, vind je niet?'

Ik zei dat het me geen donder interesseerde hoeveel ze allemaal werkten en wat ze ervoor kregen, ik had gewoon het gevoel dat ze niet genoeg deden. Anders zou die comapatiënt allang weer fit zijn, schreeuwde ik nog, en weg was ik. Ik ben nog even bij je geweest om het hele verhaal te vertellen, maar je reageerde natuurlijk niet.

De rest van de week was ook behoorlijk heftig. Ik had het druk met de Zündapp en zo. Maandag gaf Redlich me haar groene kaart en zei: 'Het spijt me enorm dat ik per ongeluk je geliefde motor heb vernield, Vorholzner. Ik zette 'm in de verkeerde versnelling. Hier is mijn kaart, regel het maar met de verzekering, ze weten er al van.' Daarna draaide ze zich om en liep weg. Dat was vast het definitieve einde van de vluggertjes, ik ben weer verzekerd van slaap. Ga nu weer op de fiets naar mijn werk en zet hem voor de zekerheid in het trappenhuis. Je weet maar nooit.

Ik was ook best vaak bij de garage om te kijken hoe het met de reparatie stond. Volgens de monteur zal het niet meevallen. Alleen al de onderdelen voor dat ouwe scheurijzer moet hij uit heel Duitsland halen. Maar hij vindt het ook een eer om zo'n pronkstuk als die eerbiedwaardige Zündapp op te lappen. Mijn vader heb ik trouwens niets verteld. Toen hij me de motor destijds cadeau deed, zei hij met vochtige ogen: 'Die heeft me naar mijn eindexamen gebracht en naar het sterfbed van je opa. Daarmee heb ik je moeder versierd en jou voor het eerst naar school gebracht. Pas er goed op, jongen, hij hoort bij de familie.' Hij zou er vast weinig begrip voor kunnen opbrengen dat een gefrustreerde psychologe haar wrok op een van onze familieleden heeft afgereageerd.

O ja, Walrika vertelde op het balkon dat het bezoek van meneer Stemmerle heel goed was verlopen. Hij was meer dan een uur bij zijn moeder op de kamer geweest en bij het afscheid zei hij: 'Tot de volgende keer.' Mevrouw Stemmerle maakt nu trouwens lappendekens in allerlei kleuren, en ze heeft er al een paar bewoners mee aangestoken.

Verder regent het nog steeds, mijn humeur is er niet op vooruitgegaan en daarnet belde Justin weer. Volgens mij is het daar nu heel vroeg in de ochtend, en hij zat echt tegen me aan te lallen. Om niet helemaal in een dip te raken ga ik maar eens naar Sullivan's. Ik hoop dat Rick er ook is en zin heeft in een biertje. Tot gauw, Max.

Woensdag, 12 juli

Ik zit te nachtbraken bij de Rarevogels. Vandaag vóór mijn werk was ik bij je, ik kwam binnen toen je moeder en Nele tegelijk je teen- en je vingernagels zaten te knippen.

Het was wel een grappig gezicht. Toen ik wegging kwam ik beneden Rick tegen, hij hing rond voor het ziekenhuis met zijn zonnebril en zijn baard, en wachtte nagelbijtend tot iemand hem meenam naar boven. Bijna had ik dat op me genomen, waardoor ik weer eens te laat zou komen bij de Rarevogels. Maar net toen ik zei: 'Nou, kom mee, maar schiet een beetje op, want ik moet naar mijn werk', kwam die snor aanlopen en zei: 'Laat maar, Niels. Ik breng je vriend wel naar zijn vriend.' Hij pakte Rick bij de arm en zo marcheerden ze naast elkaar het ziekenhuis in, die snor en die baard. Man, Rick zal blij zijn dat hij zich nu weer kan scheren. Verder is er eigenlijk niets gebeurd. Dit weekend ga ik naar het grindgat, het water heeft de perfecte temperatuur.

Maandag, 17 juli

Vandaag is alles anders. Het is bijna halféén 's nachts en ik zit in de keuken van de Rarevogels. Ik ben verdrietig en kan nauwelijks helder denken, Max, toch schrijf ik je.

Maar even in de goede volgorde. Gisteren heb ik lekker uitgeslapen, gedoucht, ontbeten en een beetje zitten niksen. Toen was alles nog oké. Aan het eind van de middag ging ik naar het ziekenhuis, en ik merkte al op de gang dat er iets niet klopte. Je moeder stond te huilen en dokter Snor hield zijn hand op haar arm. Ze zeiden geen woord. Ik rende naar ze toe en vroeg wat er verdomme aan de hand was. Toen ik de deur van je kamer wilde opendoen, pakte die snor me bij mijn arm en vertelde me dat ik niet naar binnen kon. 'Dat zullen we nog weleens zien,' zei ik, en ik rukte aan de deurkruk. Maar die rotdeur ging niet open. Ik keek door het raampje en zag dat de hele kamer mistig was en dat een of ander apparaat damp in je gezicht stond te blazen.

Die snor legde uit dat je er een zware longontsteking bij had gekregen en dat niemand bij je naar binnen mocht, om je niet met bacteriën of zo in nog groter gevaar te brengen. Je toestand was slechter dan ooit, en hij wist niet of je de nacht zou overleven. Je moeder huilde. Die snor troostte haar. En ik stond door het raampje naar de nevelslierten te kijken die tegen het plafond hingen. Dat was gisteravond, zoals ik al zei. Eigenlijk weet ik niet goed wat er daarna is gebeurd. Ik kan het me echt niet herinneren.

Maar op een of andere manier zag ik ons hele leven aan me voorbijtrekken. Precies zoals je soms hoort over mensen die korte tijd klinisch dood zijn geweest. Zo was het ook bij mij, Max. Ik herinnerde me elke gebeurtenis in ons gezamenlijke verleden, zelfs totaal onbelangrijke details. Het schoot allemaal door mijn hoofd, volslagen ongecontroleerd, en ik kan niet eens zeggen hoe lang het heeft geduurd. Heel vaag herinner ik me dat er steeds weer een schril gepiep uit je kamer klonk en dat die snor met escorte, in groen plastic gehuld, bij je naar binnen ging. Ik heb door het raampje de nevel na staan kijken; hoe die melkachtige slierten in slow motion naar boven trokken en – langzaam van vorm veranderend – uiteindelijk in het plafond verdwenen. Jou zag ik niet, Max, de nevel had je helemaal bedekt, je met huid en haar en al je slangetjes opgevreten als het ware. Of ik iets heb gegeten of naar de wc ben geweest, durf ik niet te zeggen. Ik weet ook niet hoe ik het al die uren bij dat raampje heb uitgehouden.

Vanavond was ik weer terug in de werkelijkheid. Rond een uur of acht trok Walrika me aan mijn arm en zei dat ze me had gemist bij het begin van de nachtdienst. Ze had me thuis gebeld en uiteindelijk de enige juiste conclusie getrokken, namelijk dat ik bij jou moest zijn. Met een vuil trucje haalde ze me daar weg, door te zeggen dat ik dringend nodig was bij de Rarevogels. Dringender dan bij jou, Max. Want jij was daar toch al in goede handen en ik kon helemaal niets doen. Maar voor de mensen bij de Rarevogels kon ik zeker iets doen, en wel meteen.

Toen we aankwamen bij de Rarevogels smeerde ze boterhammen voor me en maakte ze thee met melk. En ik vertelde over ons leven, Max. Ze hield zich flink. Haar oogleden werden algauw zwaar (ze staat 's ochtends altijd om vier uur op om te bidden), maar ze hoorde al mijn verhalen aan, zowel de leuke als de vervelende. Een paar keer moest ze lachen en zo nu en dan zei ze 'mijn god!', best verontwaardigd zelfs. Maar ze liet me vertellen. Ze is daarnet pas naar bed gegaan, nadat ze eerst mijn handen stevig had vastgepakt. Nu zit ik hier te schrijven. Eerst heb ik het ziekenhuis gebeld, maar toen ik eindelijk de verpleegster te pakken had die me kon vertellen hoe het met je ging, heb ik opgehangen. Ik ben zo bang, Max. Ik kan nu niet verder schrijven, ik ben moe, mijn handen trillen en mijn oogleden ook. Ik ga een stukje door de gangen lopen om tegen de angst en de slaap te vechten.

Hallo Maxim,

Het is bijna een week geleden dat ik je heb geschreven. Eerder zou ik het niet hebben gekund, geen regel. Sinds vandaag gaat het iets beter met je, de mistmachine is weg en volgens die snor heb je 'het ergste achter de rug'.

Een paar dagen geleden heb ik mijn oude cassetterecorder van zolder gehaald, die ik ooit van mijn vader heb gekregen. Hij had bedacht dat ik mijn trombonespel daarmee kon opnemen, om ernaar te luisteren en het dan misschien wel te verbeteren. Tot die tijd vond ik eigenlijk alles mooi wat ik speelde, maar toen ging ik er dus echt naar luisteren. We hebben om de beurt iets ingesproken op een cassette, Peter, Nele, Rick en ik. En die snor heeft de recorder steriel ingepakt en op je kamer gezet. Ik denk niet dat onze stemmen ervoor gezorgd hebben dat het beter met je gaat, maar ze hebben je blijkbaar ook geen kwaad gedaan.

Je ouders waren de enigen die de afgelopen tijd bij je naar binnen mochten. Zij waren ook steriel ingepakt, je vader leek wel een michelinmannetje. Je moeder was weer veel aan het huilen, er was niets over van al die positieve ideeën van professor Al-sla-je-me-dood. Maar het gaat dus de goede kant op met je, en die snor zei dat we eind volgende week weer bij je naar binnen mogen als het zo doorgaat. Tot die tijd moet de cassetterecorder maar zijn werk doen.

Justin belde ook elke dag (ik had hem natuurlijk verteld over je longontsteking), en hij was nu tenminste nuchter, dat was een voordeel. Ik moest je heel veel groeten doen en beterschap wensen van Justin en Michel, wat ik op de cassetterecorder heb ingesproken. Het had wel wat griezeligs, Max, om je door het raampje van je kamerdeur te zien liggen tussen al die nevelslierten, met op de achtergrond onze stemmen. Maar nu gaat het weer de goede kant op, nog een paar dagen misschien en dan zit ik weer op de rand van je bed. Goddank.

Een paar dagen geleden belde de verzekeringsman van Redlich. Hij had de rekening gekregen en vroeg zich af waarom de reparatie van die ouwe rammelkast zo duur was uitgevallen, of ik hem misschien had laten vergulden. Voor dat bedrag had ik volgens hem met gemak een nieuwe motor kunnen kopen. Ik zei tegen Redlich dat ze dat nu meteen moest oplossen, anders zou ik pas echt kwaad worden. Twee dagen later kon ik de Zündapp ophalen bij de garage en ik kan niet anders zeggen dan dat hij fantastisch is gerepareerd, Max. Mooier dan ooit en hij rijdt als een zonnetje. Een familielid eersteklas gewoon.

Verder is er eigenlijk geen nieuws, maar ik had ook niet veel aandacht voor de wereld om me heen. Dus hou ik er voor vandaag mee op, ik moet zo naar mijn werk en daarvóór nog mijn vader bellen, die is namelijk jarig vandaag. Ik ga hem met de trombone een serenade brengen door de telefoon. Tot morgen, Max.

Donderdag, 27 juli

Vriend. Wat ik je nu schrijf zal ik je nooit kunnen vertellen, omdat ik dat heb beloofd. Maar opschrijven moet ik het toch, of juist. Vandaag kwam ik Sonja Kiermeier tegen bij de kapper. We zaten een beetje te kletsen over haar medicijnenstudie en ze vertelde dat ze daarnaast bij een gynaecoloog werkt om wat bij te verdienen. Natuurlijk wilde ze ook weten hoe het met jou ging. Op een gegeven moment kwam het gesprek op Nele, en Sonja zei dat ze haar pas was tegengekomen bij die gynaecoloog. Ze zei dat ze zo met haar te doen had, omdat ze ook nog zwanger is! Ik dacht dat ik van mijn kappersstoel viel. Sonja flapte het er zomaar uit en merkte het zelf ook meteen. Ze pakte me bij mijn kraag, trok me naar zich toe en siste dat ze me zou vermoorden als ik het aan iemand zou vertellen. Ik beloofde eeuwig te zullen zwijgen. Maar dat hoeft natuurlijk niet, want over maximaal negen maanden is het algemeen bekend.

Begrijp je dat, Max? Nele is zwanger van een of andere kerel, misschien wel van Peter, en zit bij jou op de rand van je bed je hand vast te houden. Dat is toch niet te geloven? Ik heb me natuurlijk afgevraagd of jij de vader zou kunnen zijn, maar dat is jammer genoeg onmogelijk. Je bent nu al bijna zes maanden niet in staat tot wat voor seksuele handeling dan ook en Nele heeft nog niet eens een heel klein buikje. Als jij iets te maken had met de zwangerschap, dan had ik allang iets moeten zien. Maar toen ik haar laatst meenam op de motor was haar buik zo strak als een plank.

Ik kreeg het de hele dag niet meer uit mijn kop en ben ook niet naar het ziekenhuis gegaan, omdat ik dat mens niet wilde tegenkomen. Dat kon nu echt niet. Ik weet niet wat ik gezegd of gedaan zou hebben als ik haar had ontmoet, maar zeker niet iets waar ik later trots op was geweest. Ik zie steeds voor me hoe Nele schaamteloos op je ziekenhuisbed ligt met een of andere kerel zonder gezicht. Walgelijk.

Het is bijna halfdrie, ik moet mijn ronde doen. En ik weet toch niet meer wat ik moet schrijven omdat ik dat verschrikkelijke beeld niet uit mijn hoofd krijg. Jezus, Max, word beter. Word nou eindelijk beter!

Zondag, 30 juli

Ik zit je bij de Starnberger See te schrijven. Dat ik hier ben is de schuld van Walrika, zij heeft dit allemaal bedacht. Toen ik vrijdagochtend een broodje roomkaas voor mevrouw Stemmerle smeerde, kwam ze bij ons zitten. Ze had met mevrouw Stemmerle gepraat, vertelde ze, en nu wilden ze me iets vragen: of ik samen met Florian naar de oude villa wilde rijden zodat hij een beetje voor de tuin kon zorgen en ik voor het huis. Dat was hard nodig. Walrika had al een schoonmaakster geregeld die ons vanaf maandag een handje zou komen helpen. Ik hoefde het ook niet voor niets te doen, mevrouw Stemmerle zou er goed voor betalen. Het was toch tijd om vakantie te nemen, dus dat kwam allemaal prachtig uit. Ze had ook al met Florian gesproken en die was blij, want er was op het moment niets te doen in de tuin van de Rarevogels. Walrika had alles tot in de puntjes geregeld met haar handlangers en ze dacht echt dat ik niet zou snappen dat ze me alleen maar het huis uit wilde hebben. Om me wat afleiding te bezorgen. Ik zei natuurlijk niet dat ik haar goedkope trucje wel doorhad. Ik wil haar niet kwetsen en kan haar gewoon niets weigeren, dat dikke vrouwtje in haar zwarte habijt.

Ik ben nog wel even naar het ziekenhuis geweest om die snor te zeggen dat hij me absoluut moest bellen als er nieuws was. Maar hij zei dat er voor het eind van de week toch niemand bij je naar binnen mocht. Ik gaf hem nog een volle cassette en zei dat hij het goed moest verdelen, elke dag een paar minuten. Hij zou het regelen.

Daarna heb ik Florian op sleeptouw genomen en ben met hem naar het meer gereden. Omdat we allebei een behoorlijk grote rugzak bij ons hadden, was het een nogal ongemakkelijke rit, maar we zijn er. Florian ging meteen de tuin in en daar is hij nu al uren bezig. Ik heb ondertussen een hoekje stofvrij gemaakt waar we kunnen slapen. Onderweg hiernaartoe zag ik een kleine pizzeria waar we vanavond gaan eten. Dat wordt nog een hele toestand, omdat ik natuurlijk de enige ben die het woord voert.

Donderdag, 3 augustus

Het is bijna niet te geloven dat ik pas vandaag weer kans zie je te schrijven, Max. Maar de tijd vliegt voorbij hier. Dat komt aan de ene kant doordat we echt veel te doen hebben, want het huis is jarenlang onbewoond geweest, en aan de andere kant doordat ik ook heel veel slaap. Als een marmot, en niet alleen 's nachts, maar ook 's middags in de hangmat in de schaduw van de bomen.

We hebben twee vrouwen die ons helpen. Ze heten Marina en Zina, zijn moeder en dochter en echt geweldig. Ze komen uit Kroatië, hebben geen man en ik denk dat Zina een oogje heeft op Flori. Haar moeder en ik houden dat stiekem in de gaten, en we hebben er een hoop lol om.

We hebben best veel gedaan, Flori heeft de tuin nu helemaal onder controle. Hij praat nog altijd niet veel, maar toch wel een beetje, want soms heeft hij iets te vragen of zo. Na het avondeten gaan de twee dames terug naar München en drinken Flori en ik een koud biertje aan de oever. Hij heeft in een van de tuinhuisjes (er zijn er drie) een oude roeiboot gevonden. Er zit bijna geen kleur meer op en hij blijft vast niet drijven, maar voor ons doel is hij ideaal. We hebben hem op het strand gezet en zitten op de roeibankjes bier te drinken. De golven klotsen rustig en gelijkmatig tegen de boot, de lucht is zuiver en het meer maakt me rustig. Eigenlijk heb ik dan ook geen zin om te praten. We vullen elkaar geweldig aan, Flori en ik. Vandaag is onze laatste avond hier, morgen gaan we terug. Ik ben vrolijk en vind dat het toch wel een goed plan was van Walrika. Ze heeft een heel stel vliegen in één klap geslagen. Nou ja.

Ik ga nog een biertje drinken met Flori en daarna plof ik in mijn bed. Morgen kom ik eerst naar jou toe, Max.

Zondag, 6 augustus

Hallo Maxim,

Ik ben dus weer thuis en mocht vandaag na drie lange weken weer bij je naar binnen. Ik was zo blij. Van die snor mocht ik maar kort blijven, en niet meteen te veel tegen je aan praten. Alles stap voor stap, je hebt rust nodig. Dus zat ik op de rand van je bed en zei niets. Of tenminste niet veel, ik zat alleen maar naar je te kijken en je handen te masseren. Die snor zei dat het vanaf nu elke dag beter zou gaan en dat ik geduld moest hebben. Steeds maar weer geduld. Nou ja. In elk geval kan ik eindelijk weer bij je naar binnen en dat redt mijn leven, geloof me.

Ik was vrijdag natuurlijk nog even bij de Rarevogels om Flori af te leveren en hoorde dat hij vandaag jarig is. Hij is nu dus meerderjarig. Dat betekent dat hij zelf kan beslissen of hij bij de Rarevogels wil blijven of niet. Tot nu toe bepaalde zijn oma dat, ook over haar graf heen. Ze had besloten dat die jongen naar de Rarevogels moest als ze niet meer voor hem kon zorgen en dat hij daar moest blijven tot hij meerderjarig was. De financiële kant had ze netjes geregeld. Ik ben benieuwd wat hij gaat doen, Flori. O ja, Redlich heb ik ook nog even gezien, ze ruikt weer naar wilderozenazijn. We doen beleefd tegen elkaar en de sfeer is koeltjes. Ze is trouwens terug bij haar vriend en werkt aan hun relatie. Tja. Mijn ouders belden vanochtend, de hittegolf is voorbij daar. God heeft mijn gebeden verhoord.

Zondag, 13 augustus

Ik heb de hele week niets geschreven, maar was elke dag bij je. Je bent nu zo stabiel dat ik je zelfs de sportberichten weer kan voorlezen. Dat doe je geweldig, Max. Die snor is ook heel tevreden over je, hij zegt dat we nu op het niveau van voor je longontsteking zitten. Daar ben ik heel blij om en ik hoop dat het zo blijft. Je ziet, mijn wensen hebben zich aangepast aan de mogelijkheden. Ik liep een paar keer Peter en Nele tegen het lijf, maar wist me er telkens goed uit te draaien. Ik heb gewoon totaal geen zin in die twee, snap je dat? Je kunt nu trouwens heel goed zien dat Nele zwanger is. Ik vraag me af of dat eerder ook al zo was maar ik het gewoon niet wilde zien. In elk geval loopt Peter met de zwangere Nele rond alsof het de normaalste zaak van de wereld is.

Flori heeft trouwens gezegd dat hij nog helemaal niet weet wat hij gaat doen. Hij heeft mevrouw Stemmerle gevraagd of hij een paar weken aan de Starnberger See mag gaan zitten om over zijn toekomst na te denken. Mevrouw Stemmerle zei natuurlijk ja en dus heb ik Flori er gisteren weer naartoe gebracht.

Verder is er eigenlijk niets gebeurd, o ja, misschien toch één dingetje. Ik heb Walrika en mevrouw Stemmerle gisteren naar het theater gereden en daarna weer opgehaald, wat op zich al geweldig is omdat mevrouw Stemmerle langzaam weer zin in het leven krijgt. Maar wat echt fantastisch was: ik heb die twee meiden gebracht in de afgedankte ziekenauto die het tehuis ooit cadeau heeft gekregen. Het is een oud Volkswagenbusje en die twee zaten achterin op de brancard, Walrika in haar habijt en mevrouw Stemmerle in avondjurk. Voor de deur van het theater maakte ik de achterklep open, en toen ze uitstapten stonden de mensen daar best gek te kijken, vooral toen mevrouw Stemmerle na een blik op de toeschouwers een buiging maakte. Toen begonnen ze te klappen, Max. Veel harder dan later bij de voorstelling, zei Walrika. Geweldig, hè?

Woensdag, 16 augustus

Vandaag stond Peter me op te wachten. Toen ik het ziekenhuis uit kwam (was de hele middag bij je geweest), stond hij bij de poort. Er was geen ontkomen aan. Hij wilde beslist met me praten. We liepen het park in, het regende pijpenstelen en we hadden geen paraplu bij ons. Op een gegeven moment zijn we op een bankje gaan zitten, en de voorbijgangers keken ons met grote ogen van onder hun paraplu aan. Het water liep aan alle kanten langs ons lichaam, onvoorstelbaar gewoon.

Peter vroeg waarom ik hem en Nele ontliep. Eerst draaide ik er wat omheen omdat ik niet goed wist waar ik moest beginnen. Uiteindelijk zei ik hem recht in zijn gezicht dat ik dacht dat hij de vader van Neles kind was. Hij draaide er helemaal niet omheen, maar zei ronduit dat het heel goed mogelijk was. Toen ik hem een dreun wilde verkopen, greep hij mijn hand en zei dat ik eerst eens naar hem moest luisteren. Dat deed ik, hoewel ik er helemaal geen zin in had. Maar ik bedacht dat het geen reet uitmaakte, en dat ik nu toch al in een nat pak op een ijskoud bankje zat. Dus liet ik Peter praten. Hij vertelde dat hij niet wist of hij de vader van het kind was, of jij, Maxim. Nele was nu zes maanden zwanger en zo'n klein buikje kwam wel vaker voor bij vrouwen die voor de eerste keer gingen bevallen. Nele is waarschijnlijk vlak voor je ongeluk met je naar bed geweest en vlak daarna met Peter. Dat laatste was gebeurd toen Nele helemaal stuk zat na dat klote-ongeluk van je. Ze ging meteen naar het ziekenhuis om je op te zoeken, en daarna zat ze nog veel erger stuk. Peter bracht haar naar huis en troostte haar, de hele nacht door, zo uitgebreid dat hij nu de vader van het kind zou kunnen zijn. Een onderzoek moet dat duidelijk maken, zei hij. Hij was nooit van plan geweest om met Nele naar bed te gaan, dat was gewoon zo gelopen en het speet hem. Maar ik was wel van plan om hem een dreun te verkopen, en dat deed ik ook. Mij speet het helemaal niet.

Zaterdag, 19 augustus

Gisteren heb ik met Rick een paar biertjes gedronken bij Sullivan's (hij heeft trouwens nog steeds die vreselijke baard!). Op een gegeven moment ging het over Nele en Peter, hoe kon het ook anders. Ik zei geen woord over het gesprek dat ik met Peter had gehad, maar dat was ook niet nodig. Rick wist het al veel eerder dan ik. Dat verraste me een beetje. Het lijkt wel alsof iedereen om me heen alles weet en zijn best doet om te voorkomen dat ik erachter kom. In elk geval zei ik dat ik het nogal een klotestreek vond van Nele, want jullie zijn al bijna twee jaar samen. En dat ik het een nog grotere klotestreek vond van Peter, want jullie zijn al honderd jaar vrienden. Rick zei dat ik me niet zo moest aanstellen en beter mijn stomme kop kon houden. Ik was tenslotte zelf ook geen brave hendrik. Maar dat heb ik nooit beweerd. Toen zei hij dat hij het ook nogal een klotestreek vond dat ik op dat oudejaarsfeest bij hem thuis zijn moeder had geneukt. Ik wist totaal niet wat ik moest zeggen. 'Ja,' zei hij, 'dat is even schrikken, hè? Je dacht zeker dat niemand het wist. Ik ben trouwens de enige die het heeft gemerkt. Ik moest toevallig kotsen en er zat net iemand op de plee. Daarom liep ik de tuin in. En toen zag ik jullie, Niels. Mijn moeder met jou. Op de tafel in het tuinhuisje. Onvoorstelbaar. Daarna kwam je gewoon weer binnen en dronk ananasbowl met mijn vader. Fraai hoor.'

Toen stond hij op en ging weg. Hij dronk niet eens zijn glas leeg. Maar hij betaalde wel, ook voor mij, en dat maakte het nog erger.

Hallo Maxim,
Ik heb nogal een kloteweekend achter de rug en probeer je nu bij de Rarevogels te schrijven. Het is ontzettend warm vandaag. Gisteren was ik twee keer bij je. De eerste keer zaten Peter en Nele op de rand van je bed en de tweede keer Rick met zijn baard. Allebei de keren keek ik door het raampje en verlangde bijna terug naar de nevelslierten. Jammer genoeg kon ik niet bij je naar binnen, omdat ze me allemaal gestolen konden worden. Dus maakte ik rechtsomkeert en gaf me over aan zelfmedelijden. Ik moest heel dringend met je praten, maar zoals ik zei, je was bezet.

Maar vandaag was ik vóór mijn werk bij je en dat ging goed. Toen ik het ziekenhuis inliep, zag ik je moeder bij de receptie staan. In het voorbijgaan ving ik op dat ze zich aanmeldde voor een cursus zwangerschapsgymnastiek. Ik ben vlak achter zo'n paal blijven staan en heb een beetje staan afluisteren, ik geef het toe, gewoon omdat het me heel erg interesseerde. En ik hoorde dat ze Nele, Peter en zichzelf voor die cursus opgaf. Het kost me moeite me voor te stellen hoe Peter straks samen met Nele en je moeder op de grond ligt om puf- en persoefeningen te doen. Nog afgezien van het feit dat je moeder het blijkbaar heel normaal vindt dat Peter misschien de vader van het kind van jouw vriendin is. Niet te geloven.

Toen ze later bij je binnenkwam, ging ik meteen weg. Je ziet het, Max, er zijn steeds meer mensen die ik probeer te ontlopen. Treurig, eigenlijk. Nou ja. Justin belde nog om te zeggen dat zijn vakantie in Nieuw-Zeeland erop zit en dat hij over een paar dagen terugkomt. Hij had energie getankt, was helemaal uitgerust en weer overal klaar voor. Verder zei hij dat zijn vader had gebeld om te zeggen dat hij die stomme partyservice zou verkopen en het geld erdoorheen zou jagen als hij verdomme niet meteen maakte dat hij terugkwam. Nou, dat is wel het laatste wat Justin wil. Dus komt hij over een paar dagen thuis om de partyservice te redden, en om jou op te zoeken, denk ik.

Bij de Rarevogels is er eigenlijk niets veranderd. De bewoners maken lappendekens en sommigen zijn ook weer aan het knutselen. Nou, zo zijn ze tenminste bezig. Walrika vertelde me op het balkon dat ze begin december graag een kleine kerstbazaar wil houden. Dan kunnen ze de dekens en de knutselwerkjes verkopen, zodat de linnenkamer leger raakt en de kas voller. Ik moest er maar eens over nadenken, want met dat zomerfeest was het ook zo goed gegaan. Maar op het moment heb ik helemaal geen zin om aan kerst te denken. Ik zie wel. Ja, en Florian zit nog altijd aan de Starnberger See. Hij belt regelmatig met Walrika. Ook meneer Stemmerle, die daar natuurlijk elke zondag komt, zei dat alles oké was.

Dat was het voor vandaag, meld me morgen weer.

Woensdag, 23 augustus

Het is al een paar dagen snikheet, veel te warm voor eind augustus. De bewoners zitten onder de bomen in de tuin te puffen en ook 's nachts wordt het niet koeler. Vanavond ben ik op het balkonnetje gaan zitten, ik heb een stoel buiten gezet, laat me opvreten door de muggen en luister naar het tsjirpen van de krekels. Om de haverklap loopt er iemand over de gang omdat hij niet kan slapen van de hitte, en zo gaat de tijd heel snel. Na mijn dienst ga ik nog even een duik nemen in het grindgat om een beetje af te koelen. Vanmiddag kom ik bij je langs.

Vrijdag, 25 augustus

Eergisteren ben ik dus na het ontbijt naar het grindgat gegaan om een paar rondjes te zwemmen. Het water was lekker en het meer was natuurlijk een paradijs op dat tijdstip. Geen mens te bekennen, alleen een paar zwanen, een zonsopkomst en zingende vogels. Daarna heb ik nog even op mijn buik in de wei gelegen en over het water uitgekeken terwijl ik kauwde op een grashalm. Dat moet heel ontspannend zijn geweest, want ik ben in slaap gevallen en werd pas weer wakker toen een rotjochie een zandvormpje tegen mijn hoofd gooide. Ik schrok zo dat ik bijna in de grashalm stikte. Toen ik uitgehoest was ging ik weg. Jammer genoeg kon ik mijn t-shirt niet aantrekken, want ik was zo verbrand dat ik niets op mijn huid kon verdragen. Dus reed ik topless op de motor naar huis. Bij elk stoplicht lieten automobilisten hun raampje zakken om te zeggen dat ik beter een hemd kon aantrekken omdat ik al vuurrood was. Echt geweldig.

Walrika heeft er later bij de Rarevogels kwark op gedaan, ze beweerde dat dat hielp. In elk geval was de pijn alleen met ontbloot bovenlichaam te verdragen, en de bewoners hadden natuurlijk de grootste lol. Een verpleger met een ingekwarkte rug zie je niet elke dag. De volgende ochtend waren de blaren jammer genoeg zo groot als kwarteleieren en ze zaten vol vocht. Walrika ontsmette een naald en prikte ze één voor één door. Afgezien van de koude rillingen 's nachts gaat het nu beter met me en ik kan ook al weer vaste voeding tot me nemen.

Was vandaag vóór mijn werk nog bij je en daar was het hele zootje: Nele, Peter, je moeder en Rick. God straft me elke dag. Stom genoeg zag je moeder me toen ik door het raampje in de deur van je kamer keek en toen was er natuurlijk geen ontkomen meer aan. Ze wees me een stoel (alsof ik ooit bij jou op een stoel heb gezeten, maar de vensterbank en beide kanten van je bed waren al bezet). Ik zei dat ik liever bleef staan, ik kon toch niet naar achter leunen met mijn verbrande huid. Nele vroeg zich hardop af hoe stom je moest zijn om vandaag de dag met al die huidkanker en zo nog het risico te nemen dat je verbrandde. Peter knikte en Rick staarde naar de kastanje. Je moeder zei: 'Laat eens zien, knul', trok mijn T-shirt omhoog en maakte het nog fijner voor me door 'Lieve help!' te roepen en meelevende geluidjes te maken. Daarna gaf ze me allerlei tips over wat ik nu moest doen en voortaan moest nalaten. Toen ze eindelijk klaar was, keek ze op de klok en zei: 'Kinderen, we moeten naar de zwangerschapsgymnastiek!'

Nele en Peter stonden op van je bed en liepen achter haar aan. Het is echt onbegrijpelijk. Rick met zijn baard staarde koppig uit het raam, en ik had er voor vandaag genoeg van en vertrok.

Ik vroeg in de personeelskamer of ze iets tegen een verbrande huid hadden. De verpleegster vroeg hoe je verdomme in deze tijd van huidkanker nog zo stom kon zijn om je door de zon te laten verbranden. Daarna keek ze naar mijn rug en belde die snor op vanwege de vele blaren. Ze zei: 'Dit moet u zien, dokter, het zijn minstens tweedegraadsverbrandingen.'

Die snor kwam, keek eens goed naar mijn rug en wilde weten hoe je vandaag de dag, nu huidkanker zo in opmars is, zo stom kon zijn om je lichaam bloot te stellen aan agressieve uv-straling. Nou ja. Toch kreeg ik een tinctuur.

Beneden in de hal liep ik nog je vader tegen het lijf, hij vroeg of ik wist waar je moeder was. Ik wist totaal niet wat ik moest zeggen, dus zei ik maar gewoon dat ze naar zwangerschapsgymnastiek was. Ik keek er vast een beetje vies bij. In elk geval legde je vader een arm om mijn schouders, wat vanwege mijn verbrande huid echt pijnlijk was. Zo liepen we door de hal en hij zei: 'Weet je, Niels, waarschijnlijk raakt mijn vrouw binnenkort haar zoon kwijt. En als er ook maar een kleine kans is, een zweempje hoop dat iets van hem hier bij ons blijft, dan zal ze die kans grijpen, koste wat het kost, begrijp je? Het idee dat Peter de vader zou kunnen zijn, heeft ze meteen verdrongen toen ze het hoorde. En zolang ze denkt iets van Maxim te kunnen houden, huilt ze tenminste niet. Als later blijkt dat Neles kind toch van Peter is, dan krijgt ze een schop, die kleine slet, hoor je me? Van mij persoonlijk, en dan moet ze het nog eens wagen om op de rand van zijn bed te gaan zitten!'

Dat zei hij, je vader.

Ik heb uitgeslapen, uitgebreid ontbeten (als een koude pizza telt als ontbijt) en ga je nu over gisteren schrijven. Gisteren was ik namelijk bij de Starnberger See, het was heerlijk weer en de Zündapp moest weer eens een ritje maken. Dus ben ik naar de oude villa gereden om Flori op te zoeken. Hij was nogal verrast maar glimlachte wel toen hij me zag. Eerst moest hij me natuurlijk de tuin laten zien en bij elke grashalm bleef hij eerbiedig staan. Daarna zette hij koffie en zei dat ik vandaag nog grote ogen zou opzetten. Ik keek een beetje om me heen, maar zag niets waarover ik me zou kunnen verbazen. Later gingen we naar het strand en daar zette ik toch echt grote ogen op. De oude roeiboot lag zoals altijd aan de oever, maar de Caribische kleuren straalden me tegemoet. Blauw en groen en ik geloof ook een beetje roze. Die ouwe roeiboot zette het hele meer in vuur en vlam. Ik vroeg Flori of dat allemaal zijn werk was. Hij zei dat hij de boot had opgelapt, geplamuurd, geschuurd, gegrond, gelakt, geïmpregneerd en gepoetst. En nu blijft hij zelfs drijven. Uiteindelijk haalde hij de roeispanen tevoorschijn, we lieten dat bontgekleurde ding te water en voeren weg. Dat had iets heel bijzonders. Later ging Flori nog met een soepele duik het water in. Ik niet, want ik kon gewoon geen stomme opmerkingen over mijn verbrande huid meer horen. Maar ik liet mijn benen in het water hangen en dat voelde goed. Flori zei natuurlijk niet veel, maar hij beantwoordde toch braaf één voor één mijn vragen. Zo heeft hij bijvoorbeeld nu wel ideeën over zijn toekomst, of in elk geval plannen in een bepaalde richting. Hij zei er nog niets over, hij wil het eerst aan zuster Walrika vertellen. Daarna hoorde ik nog dat Zina twee keer in de week komt schoonmaken, haar moeder niet meer, want er is niet meer zoveel schoon te maken als eerst. Hij zat erbij te grijnzen, die schurk. Later trokken we de roeiboot aan land en ik zei dat hij een naam moest hebben. Flori dacht even na en zei toen dat hij het al wist. Ik durf te wedden dat er binnenkort ZINA op staat.

Vlak voordat ik terugging werd het meer heel groen, en de lucht voorspelde onweer. Ik vroeg Flori of hij bang was als het onweerde en of ik moest blijven slapen. Hij lachte en zei dat hij nu volwassen was en voor de duivel niet bang. Dus ben ik met een goed gevoel vertrokken.

Vanochtend ging ik gruwelijk vroeg naar je toe, want ik dacht terecht dat je later wel weer belegerd zou worden. Ik las je op de rand van je bed de sportberichten voor. Ik vertelde je over de afgelopen dagen en masseerde je handen, waar ik nu heel goed in ben. Lang leve de vaseline! In elk geval zijn je vingers niet meer zo stijf en koud, en soms heb ik het idee dat je reageert op de druk. Zoals vandaag. Ik wist zeker dat je in mijn handen kneep, en boog me voorover om je in de ogen te kijken. Of tenminste in het spleetje dat je ons gunt. Je ogen waren onbeweeglijk en star als bij de pop van een buikspreker. Ja, Max, je doet me echt denken aan zo'n pop, omdat je met me praat en toch niets zegt. Maar ik kan je wel horen. Heel duidelijk. Toen ik in je ogen keek, die wel kijken maar niets zien, dacht ik meteen niet meer dat je me geknepen had. Nee, jij knijpt niet in handen. En je glimlacht ook niet, maar zolang er leven is, is er hoop.

Ik keek door het raam naar de oude kastanje en het viel me op dat de bladeren al beginnen te verkleuren. Het is warm en zonnig, en toch kondigt de herfst zich aan. De dagen vliegen om, het leven gaat voorbij en jij ziet het niet. Jij ziet het niet.

Vrijdag, 1 september

Dag Maxim,
Ik heb er nu een gewoonte van gemaakt om na mijn werk bij je te komen, voordat ik naar huis ga. Dan weet ik zeker dat ik niet word gestoord, als ik de doktersvisite niet meetel. Zolang die snor met zijn knechtjes bij je is, sta ik voor je deur door het raampje te kijken. Ik kan amper horen wat er daarbinnen gebeurt, maar ik zie alles. Soms komt een van de verpleegsters me een kop koffie brengen, dat is aardig maar onhandig, want daarna moet ik gaan slapen. Omdat ik die meiden niet wil kwetsen kiep ik de koffie stiekem in de wastafel. Zoals ik zei, 's ochtends worden we met rust gelaten, en het is fijn om na de lange nacht met je te praten. Ik kan je vertellen wat er is gebeurd en ik kan het je ook vertellen als er niets is gebeurd. Jij vindt alles best.

Bij de Rarevogels worden al kerstversieringen geknutseld voor de bazaar en de bewoners hebben er plezier in. Deze week had ik weer seks met Iris Redlich, het is niet te geloven maar echt waar, ze kan geen afscheid van me nemen. We brachten een paar knutselwerkjes naar de linnenkamer en stortten ons toen weer op elkaar. Ze droeg naadkousen onder haar witte jas en had geen slipje aan, het was fantastisch. Je ziet dus dat ik ook plezier beleef aan de knutselwerkjes, Max. Tijdens de seks bleven we heel koel en beleefd doen en dat was best spannend.

Justin is terug en we hebben samen een paar biertjes gedronken. Hij heeft me van alles verteld over Nieuw-Zeeland en de kiwi's. Het is volgens mij echt geweldig daar, we moeten zeker een keertje gaan kijken, Max. Natuurlijk wilde Justin meteen naar je toe en trapte prompt in de belegeringsval. Nele op de rand van je bed en Peter op de rand van je bed. Je moeder staand aan het voeteneind, zo'n beetje in het midden. Omdat ik Justin niet heb verteld dat Peter misschien wel de vader is, stapte hij gewoon naar binnen, omhelsde Nele en je moeder en zei: 'Fijn voor Maxim! Als dat hem niet op de been helpt, wat dan wel? Een kind op komst, dat wekt de doden tot leven, toch?'

Ja, zo zei Justin het en hij was echt blij. Van de drie anderen had niemand het lef om hem te vertellen hoe het zat. Ze keken allemaal ongemakkelijk naar de grond.

Ik heb het hem ook niet verteld, Max. Toen Justin kwam vragen wat er aan de hand was, waarom ze allemaal zo vreemd deden, stuurde ik hem naar Sullivan's en zei: 'Vraag het maar aan Rick. Die weet het al heel lang en vertelt het je graag.'

Dat was natuurlijk niet best van me. Tenslotte kan Rick er ook niets aan doen. Maar toch. Laat hij Justin maar uitleggen waarom hij samen met Peter op de rand van je bed zit, vlak nadat die je vriendin heeft geneukt, zo ongeveer op je sterfbed. Terwijl jij een echte vriend voor ze bent. Maar dat kan Rick niet schelen, terwijl hij wel in een crisis raakt omdat ik honderd jaar geleden een keer aan zijn moeder heb gezeten, een fantastische vrouw trouwens, die door haar man als een stuk vuil werd behandeld. En die man is helemaal geen echte vriend van me, maar laat me koud. Dat mag Rick aan Justin uitleggen. Ik bedank voor de eer.

Maandag, 4 september

Was vandaag vóór mijn werk bij je en heb wat ik nu ga schrijven allemaal al verteld. Maar je reageerde natuurlijk niet. Justin is vrijdag echt naar Sullivan's gegaan en liep daar niet alleen de bebaarde Rick tegen het lijf, maar ook Nele en Peter. Ze hebben een tijdje bier zitten drinken (Nele niet, die moet voorzichtig zijn voor de baby) en gebiljart. Justin vertelde over Nieuw-Zeeland, maar de anderen waren allemaal heel achterdochtig. Toen Justin ook achterdochtig werd en vroeg wat er aan de hand was en waarom iedereen zo raar deed, moest Nele opeens naar huis. Peter en Rick draaiden er nog steeds omheen en ten slotte zei Justin: 'Kom op, wat houden jullie verborgen? Zo erg kan het niet zijn. Of heeft een van jullie tweeën dat kind van Nele verwekt?'

Ik had Justin niets verteld, ik zweer het. Maar na al

dat stomme gedoe begreep hij het zo ook wel. Nou ja, Rick antwoordde dat het hem geen flikker aanging en dat hij kon ophoepelen naar de andere kant van de wereld. Hij moest er niet eerst vandoor gaan en terugkomen als hij er zin in had, om ons te vertellen wat we wel of niet mochten doen. Toen wist Justin natuurlijk genoeg, en hij vroeg: 'Wie van jullie is de zak die met Nele naar bed is geweest?'

Er kwam geen antwoord. Rick zat op zijn nagels te bijten en Peter probeerde krampachtig en uiteindelijk tevergeefs zijn tranen in te houden. Justin vroeg het een tweede en een derde keer. Toen stortte Peter boven zijn bierglas in elkaar en zei: 'Ik. Ik heb het gedaan, Just!'

Zo noemen we Justin nooit. Hij spuugde voor ze op de grond en zei dat hij zich schaamde dat zulke zakken zijn vrienden waren.

Daarna kwam hij het mij allemaal vertellen, zijn versie van het verhaal. Ik wist niet wat ik moest zeggen, maar dat was ook niet nodig, want Justin was lekker op dreef. Hij schold me uit omdat ik niets had gezegd, zodat hij er zelf achter moest komen. Ik zei dat ik gewoon geen zin had om te roddelen en dat het nu niet meer uitmaakte omdat hij het verhaal kende. Hij zat daar voor me in zijn T-shirt van partyservice Brenninger en schudde zijn hoofd. Toen ging hij weg. Dat was vrijdagavond.

Jammer genoeg heb ik even gebroken met mijn vaste gewoonte om 's ochtends naar je toe te gaan. 's Ochtends is er nooit iemand anders, maar omdat ik toch wel nieuwsgierig was hoe het allemaal verder zou gaan, ben ik zaterdagavond naar het ziekenhuis gereden. Tien tegen één dat ik iemand zou tegenkomen. En ik kwam iedereen tegen. Je ouders waren er en Peter met Nele, en even later kwamen Rick en Justin, maar niet samen. Omdat het krap was en we er allemaal een beetje ongemakkelijk bij stonden, zei je vader tegen je moeder dat zij beter naar huis konden gaan. En dat deden ze ook, maar echt relaxed werd het nog niet. We stonden als kleine kinderen om je heen en niemand durfde op de rand van je bed te gaan zitten, wat anders toch de favoriete zitplaats is. Ik ging op de vensterbank zitten en was daarmee uit de problemen. Aan de blikken van de anderen zag ik dat ze zelf ook graag op dat idee waren gekomen. Ik zat als een stille toeschouwer door het raam naar de oude kastanje te kijken en te wachten tot de voorstelling zou beginnen. Het duurde nog een hele tijd voordat Nele aarzelend op de rand van je bed ging zitten. Daarna ging alles snel. Justin zei dat ze verdomme met haar kont van dat bed moest komen zolang niet duidelijk was wie de vader was van dat kind. Het bed was een heilige plek en daar had haar kont niets te zoeken. Toen vroeg Rick wat hem dat aanging, en hij zei dat Nele haar kont mocht neerplanten waar ze wilde. Wat Justin betrof kon ze die klotekont neerplanten waar ze wilde, maar niet op die heilige bedrand, begrepen? Op een gegeven moment stonden ze oog in oog midden in de kamer en iedereen wachtte gespannen op de eerste klap. Maar Peter sprong ertussen en riep: 'Kappen nou, jongens. We zijn toch vrienden!' Toen pakte Justin hem bij zijn kraag en schreeuwde: 'Ik ben je vriend niet. Jullie kunnen doodvallen!'

Toen ging hij weg. Ik trouwens ook, want mijn nieuwsgierigheid (waarvoor ik me echt schaam) was ruimschoots bevredigd.

Zondag was ik vroeg in de ochtend bij je, en verder was er natuurlijk niemand. Van een van de verpleegsters kreeg ik koffie, zwart en heet, en deze keer dronk ik die graag. Ik vertelde je het hele verhaal van zaterdag nog een keer, wat niet nodig was omdat je er zelf bij was. Maar ik zag toch dat je weer lag te grijnzen om mijn nieuwsgierigheid. Zeker weten.

Toen ik wegging kwam ik trouwens die snor tegen op de gang, met nog iemand in een witte jas. Of liever gezegd jasje, want die kerel was zo klein en mager dat hij wel een kabouter leek.

Die snor vertelde dat hij van een welverdiende vakantie ging genieten en dat die kabouter voor hem waarnam. Het was zijn allereerste dag hier, hij ging hem de kliniek laten zien en we moesten allemaal maar aardig voor hem zijn. Ondertussen stond hij aan zijn snor te draaien. Die kleine gaf me een hand en spelde zijn naam. Je zou hem zo een zakje snoep in zijn hand drukken. Jammer genoeg heb ik zijn naam niet onthouden en ik noem hem nu maar Bonsai. Zonder opstapje of krukje kan hij je niet eens onderzoeken, Max. Nou ja, genoeg voor vandaag. Het is nu halfdrie en tijd voor mevrouw Stemmerle.

Vrijdag, 8 september

Ben een beetje aan het stressen. Een paar dagen geleden stuurde mijn vader weer muziek voor de trombone en op de rand van een van de bladen stond amper zichtbaar geschreven dat ze zaterdag kwamen. Maar ik heb de bladen meteen op een stapel oude kranten gelegd en er verder niet naar gekeken. Pas gisteren, toen ik vlak voordat ik naar mijn werk ging het oud papier naar buiten wilde brengen, zag ik dat er iets op stond. Vanochtend heb ik me dus na mijn nachtdienst de noodzakelijke slaap ontzegd en mijn huis schoongemaakt. Daarna ben ik meteen naar de Rarevogels gereden.

Nu vallen mijn ogen langzamerhand dicht en het duurt nog uren voor ik kan gaan liggen. En ik kan niet eens in mijn eigen bed, want dat heb ik voor mijn ouders opgemaakt. Ik moet dus op de bank, die stinkt naar pizza, bier en sigaretten. Ik kan me dagenlang de oren van mijn hoofd laten praten door mijn moeder en aanhoren hoe mijn vader droomt van een leven waarin ik overal ter wereld voor uitverkochte zalen trombone speel, en hij met me meegaat. Mijn leven is een puinhoop! Mijn toekomst is onduidelijk. Mijn vrienden ben ik kwijt. Mijn huis wordt belegerd. Mijn god, wat haat ik dit allemaal! Ik heb slaap nodig!

Zondag, 10 september

Later moet ik in slaap zijn gevallen, want op een gegeven moment ben ik van mijn stoel gegleden en op de grond terechtgekomen. Daar werd ik namelijk wakker en ik bloedde uit mijn oor. Het eerste wat ik zag waren lage zwarte veterschoenen. Verder naar boven zag ik een nogal wijd habijt en ten slotte het boze gezicht van zuster Walrika, die zei: 'In het reglement staat heel duidelijk dat het personeel dat nachtdienst heeft op elk moment bij z'n positieven moet zijn en beschikbaar moet zijn voor de gasten. Dat ben jij beslist niet. Zou je nu in godsnaam zo goed willen zijn het ontbijt klaar te maken?'

Toen ik naar huis wilde gaan, stond ze me bij de voordeur op te wachten en zei: 'Nog iets voor je eigen bestwil, Niels. Het taboe op je smakeloze bezigheden geldt beslist voor onze linnenkamer. Maar ook het bos hierachter hoort bij het terrein van het tehuis. Mevrouw Redlich heeft al een officiële waarschuwing gekregen, de tweede trouwens. Jou zal ik dat besparen, gewoon omdat je ons geen geld kost. Toch zou ik het zeer op prijs stellen als je je voortaan zou schikken naar mijn instructies en naar het reglement dat er nu eenmaal is. En nu wegwezen, in godsnaam.'

Ja, geheimen bestaan nu eenmaal niet bij de Rarevogels, niet in de linnenkamer en ook niet in het bos. Die Walrika ook met haar stomme reglement! Ze voegt er vast een nieuwe paragraaf aan toe waarin staat dat neuken op het hele terrein van de Rarevogels niet is toegestaan. Nou ja.

Met mijn ouders gaat het precies zoals ik had gevreesd. In mijn kleine huis kunnen we met z'n drieën geen week blijven zonder moord en doodslag binnen de familie te riskeren. Dus belde ik mijn collega op (met wie ik van dienst had geruild) om te zeggen dat ik mijn dagdienst terug wilde. Althans voor een tijdje. Ze zei dat het slecht uitkwam, want ze had weer iemand leren kennen en dan was ze 's nachts wel graag beschikbaar. Maar omdat ze nog bij me in het krijt stond, en ik tegen haar zei dat die kerels misschien langer zouden blijven als ze niet altijd zo beschikbaar was, waren we er snel uit. Morgen begin ik dus met de dagdienst, waardoor ik thuis wat meer lucht heb. Ik kom toch 's ochtends naar je toe, Max, maar dan vóór in plaats van na mijn werk.

Mijn ouders waren gisteravond bij de jouwe. Het was vast een lange avond, in elk geval rook het in mijn slaapkamer 's ochtends net zoals de nachten dat we het met zijn allen op een zuipen zetten en het bewustzijn verloren. Ook de huurauto van mijn ouders stond niet voor de deur, dus ik denk dat ze een taxi moesten nemen. In elk geval zei mijn moeder 's ochtends, of eigenlijk was het 's middags, dat ze niet echt enthousiast was over Gigi en Oskar (zo heten je ouders nu eenmaal). Dat ik op dat moment ook niet echt enthousiast was over mijn moeder met haar rode ogen en uitgelopen mascara, zei ik maar niet.

's Avonds. Vanmiddag was ik met mijn ouders bij je, ze wilden natuurlijk absoluut bij je op bezoek. Dat was één groot drama, zoals je kon verwachten. Een liveshow is toch heel wat anders dan een verslag door de telefoon. Ze waren behoorlijk van slag en daardoor zwijgzaam. Maar dat redde mijn avond, want niemand had zin om te praten. Ik heb rustig *Tatort* aangezet, waarop mijn moeder zei: 'Hoe kun je nu televisie kijken terwijl het zo slecht gaat met je beste vriend.' Tja.

Woensdag, 13 september

Was gisteren vóór mijn werk bij je en mocht weer eens niet naar binnen. Het gaat slechter met je en je hebt koorts gekregen. Hoe lang ga je me dit nog aandoen, Max?

Ik heb een tijdje door het raampje staan kijken en kon je duidelijk zien omdat er deze keer geen nevelslierten aan te pas kwamen. Je ligt daar maar, heel rustig natuurlijk, met dat kleine spleetje tussen je oogleden, en je blauwe handen. Ik mag niet naar binnen om je te masseren en dat breekt mijn hart.

Vanaf de Rarevogels belde ik je moeder, en zij zei dat dat geruzie je zo ziek had gemaakt. Het is vast weer tot een confrontatie gekomen tussen Justin, Rick en Peter, gisteren of eergisteren, geen idee. In elk geval gaat het sindsdien slecht met je. Daarna begon je moeder weer over haar professor Al-sla-je-me-dood en dat die toch wel gelijk had. Dat heeft hij waarschijnlijk ook, als ik eraan denk hoe je grijnst en in handen knijpt als het goed met je gaat. Nou ja.

Je moeder heeft nu besloten een rooster op te hangen, om een nieuwe confrontatie tussen de oude vrienden te voorkomen. Ze gaat dat doen zo gauw het beter met je gaat en er bezoek naar binnen mag. Het rooster geldt niet voor mij, want 's ochtends is er toch niemand behalve ik. Je moeder was heel flink aan de telefoon, Max. Ze huilde niet, maar ik moet wel zeggen dat haar stem monotoon klonk en schor. Moedeloos gewoon. Ik wist ook niet meer wat ik nog moest zeggen, dus hingen we maar op.

Ik heb Bonsai de cassetterecorder gegeven en tegen de verpleegsters gezegd dat iedereen die bij je op bezoek komt iets moet inspreken. Ze gaan ervoor zorgen, net als de eerste keer.

's Avonds heb ik een cd van STS opgezet, een biertje opengetrokken en de vakantiefoto's van vorig jaar bekeken. Ik bedacht dat onze jaarlijkse vakantie er helemaal bij ingeschoten is. Behalve Justin is niemand van ons weg geweest. We durfden niet bij je ziekbed vandaan, Max. En waarschijnlijk ging Justin ook alleen weg omdat hij er niet meer tegen kon. Het niet meer kon aanzien hoe je daar lag. Daarom is hij vast ook zo kwaad om wat er gebeurd is en niet meer teruggedraaid kan worden. Omdat hij er niet tegen kan als jou iets overkomt. Als iemand jou iets aandoet! Ja, en Rick hing natuurlijk dagenlang nagelbijtend voor het ziekenhuis rond. Hij stond urenlang te wachten tot iemand hem mee naar boven nam of op z'n minst vertelde hoe het met je ging. Rick hing rond voor het ziekenhuis en liet een baard staan in plaats van op vakantie te gaan. En Peter. Peter heeft het eigenlijk het zwaarst van ons allemaal. Hij moet leven met de gedachte jou te hebben verraden. Ik geloof best dat hij nooit de bedoeling heeft gehad om Nele te pakken. Ik geloof best dat het gewoon gebeurde toen hij haar aan het troosten was. Ik denk zelfs eerder dat zij hem troostte dan omgekeerd. En toen gebeurde het gewoon. Twee doodongelukkige mensen vielen elkaar in de armen. Die dingen gebeuren. En nu draagt Peter de last van het verraad op zijn schouders en moet hij ook nog voor de zwangere Nele zorgen, die zich eigenlijk nog het beste gedraagt van ons allemaal.

Die gedachten schoten door mijn hoofd terwijl ik naar STS zat te luisteren en foto's aan het kijken was. Op een gegeven moment klopte mijn vader op de deur en vroeg of hij binnen mocht komen. We dronken samen een paar biertjes en ik vertelde hem al die sentimentele onzin, tot hij begon te huilen.

Vanochtend kwam ik te laat op mijn werk. Walrika zei geen woord, maar mevrouw Stemmerle had een paar broodjes voor me gesmeerd en zat daarmee bij de ingang op me te wachten. Ik hou van haar!

O ja, ik ben van plan om dit weekend naar Flori te gaan en Walrika mee te nemen. Om verschillende redenen. Ten eerste moet ik dringend weg bij mijn ouders, want ik kan er niet meer tegen. Ten tweede zou ik er punten mee kunnen verdienen bij Walrika (we hebben weliswaar nog altijd onze intieme rookpauze, maar sinds kort praten we er niet meer bij, en daar krijg ik de zenuwen van). Bovendien moet er toch weer eens iemand naar die jongen omkijken. Meneer Stemmerle is er elke zondag, maar die gooit alleen zijn bloemen in het water en dat was het dan weer. Ik hoop eigenlijk dat mevrouw Stemmerle meegaat naar de oude villa. Eens zien of ze dat durft. In elk geval sta ik morgenochtend vroeg weer stipt bij het raampje om naar je te kijken, Max.

Vrijdag, 15 september

Vandaag ben ik na het werk weer eens heel spontaan met Iris Redlich naar het bosje gereden en heb goed opgelet of ergens in de bomen een camera hangt. Maar ik kon niets ontdekken. Als ik erover nadenk spoort Redlich toch niet helemaal, want ze riskeert hiermee haar ontslag. Nou ja.

Was vanmorgen natuurlijk bij je en liep Bonsai tegen het lijf. Hij sprak me aan toen hij over de gang liep en ik net door je raampje stond te kijken. Ik draaide me natuurlijk meteen om, maar zag niemand. Ineens herinnerde ik me Bonsai, waarna ik wat lager keek en daar stond hij. We hebben even over je gepraat, maar hij had ook geen nieuws. Hij zei alleen dat we weer naar binnen mochten als de koorts weg was. Ik vertelde dat je handen altijd zo koud en blauw waren. Hij dacht dat het niets bijzonders was, maar hij zou ernaar kijken. Ik moest me de hele tijd inhouden om niet zijn wang tussen mijn duim en wijsvinger te pakken en te zeggen: 'Wat ben jij een grote knul geworden!'

Ik vertelde Walrika trouwens over mijn plannen voor een uitstapje en ze had er wel zin in. Ze zei alleen: 'Ja, dat kunnen we doen, in godsnaam', maar ze had een verzoenende twinkeling in haar ogen. Ze gaat ook met mevrouw Stemmerle praten, maar ik moest er niet al te veel van verwachten. Mevrouw Stemmerle is als de dood voor het meer, zei ze. In elk geval spraken we af dat ik zondag met de huurauto van mijn ouders naar de Rarevogels kom en dan gaan we ervandoor. Het was trouwens een enorm gezeur voor ik mijn ouders zover had dat ik de huurauto mocht lenen. Mijn vader maakte zich zorgen over de verzekering en over het aantal vrije kilometers, waar hij niet overheen mag komen. Ten slotte stelde mijn moeder nog voor dat we met z'n allen (dus ook mijn ouders) met de trein zouden gaan. Je kon dan groepskorting krijgen en het zou vast leuk worden. Dat ontbrak er nog aan! Ik zei alleen maar dat ik mijn slaapkamer terug wilde als ik de auto niet meekreeg, en wel meteen. Dat werkte. Ze zijn zo doorzichtig. Ja, doorzichtig, bekrompen en stug.

Nu moet ik ineens denken aan die geschiedenis met die onderzetters. Weet je dat nog, Max? Met handenarbeid moesten we van die stomme onderzetters maken. En hoe ik ook mijn best deed, ze zagen er altijd waardeloos uit. Maar die van jou waren fantastisch. Daarom deden we wat we altijd deden: jij maakte mijn onderzetters en ik maakte ondertussen jouw wiskundehuiswerk. Voor de onderzetters kregen we allebei een tien en we mochten die dingen mee naar huis nemen. Ik ben toen zo stom geweest ze als kerstcadeau aan mijn moeder te geven, die er dolblij mee was. Ze was ontzettend trots op me omdat ik speciaal voor haar zo'n moeite had gedaan, maar dat had ik natuurlijk van tevoren geweten. Toen we een paar jaar later met kerst gezellig bij elkaar zaten en allemaal onze streken opbiechtten, vertelde ik haar het hele verhaal. En wat denk je? Ze geloofde me gewoon niet! Ze zei dat het allemaal onzin was wat ik vertelde en dat ze heel zeker wist dat ik die stomme onderzetters zelf had gemaakt. Alleen maar omdat ze ze mooi vond en het verhaal een sentimentele draai wilde geven. Nog altijd houdt ze bij hoog en bij laag vol dat ik die onderzetters heb gemaakt.

Maandag, 18 september

Was vanochtend bij je en hoopte dat het rooster er hing. Je moeder had gezegd dat ze het aan de deur van je kamer zou hangen zo gauw we weer naar binnen mochten. Maar ik zag het jammer genoeg niet. Wat ik wel zag was dat je koude blauwe handen in dikke wollen handschoenen staken. Ik ben speciaal naar de kamer van die snor (nu dus van Bonsai) gegaan om daarvoor te bedanken. Bonsai kan amper over het grote bureau heen kijken en zei dat het wel in orde was en dat het goed was dat ik het had aangekaart. Dan vraag je je natuurlijk wel af waarom ik dat moet aankaarten en niet het verplegend personeel. Terwijl zij toch al maanden drie keer per dag je pols opnemen. En dan is het nog nooit iemand opgevallen dat je handen langzamerhand aan het afsterven zijn? Nou ja. Bonsai droeg trouwens een roze poloshirt onder zijn witte jas. Dat was geen gezicht, Max. Daar zat dat mannetje in zijn roze polo naar me op te kijken. Later stelde ik me voor hoe Bonsai in zijn roze polo na zijn dienst in zijn barbieauto stapt en naar zijn barbiehuis rijdt.

Gisteren waren we dus aan de Starnberger See. Eerst reed ik naar de Rarevogels om Walrika op te halen en eventueel mevrouw Stemmerle. Walrika stond al voor de deur met een bakvorm in haar handen. Ze zei dat mevrouw Stemmerle zoals verwacht niet meeging. Ik ben toen toch naar mevrouw Stemmerle gegaan om te zeggen dat ze me iets schuldig was. Ze had mij die keer gevraagd naar de villa te gaan om te kijken of alles in orde was en dat heb ik gedaan. Maar nu moest zij ook iets voor mij doen. Meegaan. Ik zei dat ik het gewoon niet zou redden, zo'n dag alleen met Walrika, die nog steeds boos op me was, en Flori, die geen boe of bah zei. Ik geloof dat ze echt een beetje opgelucht was. Ze wilde er vast al een hele tijd naartoe, maar durfde gewoon niet. Nu had ze een goede reden om zich eroverheen te zetten. Ze vroeg alleen: 'Gaat Jasmin ook mee?' En ik zei: 'Die is er toch al.' Toen we in de auto stapten keek Walrika heel raar op. Ze had een pruimentaart op schoot en die verspreidde een geur waarvan het water me in de mond liep. Later hebben we hem onder de oude bomen opgegeten, in de heerlijk warme septemberzon. En toen mevrouw Stemmerle met haar zoon de bloemen in het meer gooide, ontdekte ze de oude roeiboot. Die fonkelde haar blauw, groen en roze tegemoet en had nu een naam gekregen. JASMIN stond erop, in roze tinten. Flori wist Walrika over te halen om een boottochtje te maken, en mevrouw Stemmerle stond een hele tijd op de oever het schommelende, felgekleurde roeibootje na te kijken.

Ik maakte met meneer Stemmerle een wandelingetje door de tuin en hij was enthousiast over wat onze Flori ervan had gemaakt. Hij zei dat het goed was dat die jongen er een tijdje was, want het huis had een bewoner nodig. Zelf kon hij er niet meer wonen en verkopen wilde hij het ook niet. Tenslotte had een overgrootvader het allemaal gebouwd (laten bouwen, denk ik). En hij vertelde dat hij weer een dochtertje had en dat zij het allemaal ooit moest erven. Zolang ze nog klein was zou hij haar er niet mee naartoe nemen. Voor geen goud. Later vroeg ik Flori waarom de boot *Jasmin* heet en niet *Zina*. Toen zei hij: 'Omdat het meer van Jasmin is en wij hier alleen te gast zijn.' Tegen de avond reden we naar huis en ik bracht mevrouw Stemmerle naar haar kamer. Daar zei ze: 'Ik heb Jasmin nu bij het meer achtergelaten, Niels. Ze voelt zich er fijn, zei ze. En nu heeft ze ook een reddingsboot voor als haar armen en haar benen zwaar worden...'

Daarna rookte ik met Walrika nog een sigaretje op het balkon en eindelijk zei ze weer wat tegen me. 'Je weet je er altijd wel uit te draaien, hè Niels? Je rommelt je door het leven, net zoals het je uitkomt. En je komt er met je door God gegeven charme nog mee weg ook. De mensen vinden je gewoon aardig, ook al trek je je niets van de regels aan,' zei ze. Ik antwoordde dat ik me, als het even kon, aan alle regels probeerde te houden. Maar dat mijn privéleven niemand iets aanging. Helemaal niemand. 'Maar je moet in godsnaam nog wel in de spiegel kunnen kijken,' zei ze. Ha! Ik kan Redlich nog honderd keer neuken en toch in de spiegel kijken. Op een of andere manier komen we op dat punt niet op één lijn, Walrika en ik.

Dinsdag, 26 september

Hallo Maxim,
Ik heb een hele tijd niets geschreven en moet me er nu ook echt toe zetten. Ik heb geen zin om te schrijven. Eigenlijk heb ik helemaal nergens zin in. Daarnet las ik nog eens mijn verslag van ons uitstapje en ik wou dat ik de tijd kon terugdraaien. Ik kan dit haast niet opschrijven, en toch moet het. De dag na ons tochtje naar haar huis is mevrouw Stemmerle 's ochtends niet meer wakker geworden.

Net als elke dag speelde ik een korte ochtendfanfare op de trombone en toen ik daarmee klaar was bleef haar deur als enige dicht. Nu maak ik mezelf al dagen verwijten, ik heb spijt dat ik haar heb overgehaald mee te gaan. Als ik haar met rust had gelaten was ze nu nog vrolijk dekens aan het maken. Het was vast gewoon te veel voor haar oude hart, de terugkeer na zoveel jaren en al die herinneringen.

Een paar dagen geleden was meneer Stemmerle bij de Rarevogels om haar persoonlijke eigendommen uit te zoeken. In haar handwerkmandje vond hij de strook lappen waaraan ze de laatste tijd had zitten werken en die samen met een paar andere stroken uiteindelijk een lappendeken had moeten worden. Hij hield hem omhoog en haalde zijn schouders op.

'Wil jij die hebben, Niels?' vroeg hij. En of ik die wilde! Hij is bontgekleurd en warm en hij is van mevrouw Stemmerle. En daarmee heilig. Walrika heeft de draden nog afgehecht en daarna droeg ik hem trots als sjaal op de begrafenis van mevrouw Stemmerle. Haar zoon wilde haar niet bij de Starnberger See begraven, hij zei dat ze zich bij ons thuis had gevoeld en dat ze hier dan ook moest komen te liggen. Vandaag was het zover. Er waren niet veel mensen, alleen haar zoon en wij van de Rarevogels. Verder had ze al jaren met niemand meer contact. Ik speelde de taptoe op de trombone, omdat ze die zo mooi vond. Maar jammer genoeg raakte ik weer verzeild in een soort jazzy rock-'n-roll en werd ik overmand door emoties. Ik blies me de longen uit het lijf en knielde bij het slotstuk op de grond. Meneer Stemmerle en de predikant stonden er wat gegeneerd bij te kijken. Maar de bewoners applaudisseerden en Walrika streek me daarna in het voorbijgaan over mijn arm.

Later op het balkon haalde Walrika twee zakflacons van onder haar habijt tevoorschijn. Ik keek alleen maar en zij zei: 'Maar verder heb ik geen slechte gewoonten!' Ze knipoogde erbij. We proostten op mevrouw Stemmerle en bij mij moest er een vraag uit die allang op mijn lippen brandde. Namelijk wat ze die keer eigenlijk tegen meneer Stemmerle had gezegd, waardoor hij van gedachten was veranderd en bij zijn moeder op bezoek kwam. Ze antwoordde: 'Ik zei dat ik het geen stijl vond dat hij zijn eigen verdriet boven dat van zijn moeder stelde. Tenslotte was zij het die al meer dan tien jaar psychologisch begeleid werd en nog altijd gevangenzat in die middag. Zij had niet gefaald, maar alleen haar lichaam. Ik zei dat vast niemand zoveel van Jasmin had gehouden als zijn moeder. Ze verloor haar alles, toen bij het meer. Daarna haar schoondochter en ten slotte haar man. En uiteindelijk ook nog haar zoon. En dat al meer dan tien jaar geleden. Vindt u niet, zei ik tegen meneer Stemmerle, vindt u niet dat het nu een keer genoeg is geweest?'

Ja, dat was mijn dag, Max. Geen mooie dag en ik hou er nu ook mee op. Zal je morgen schrijven wat er verder nog is gebeurd de afgelopen dagen.

Woensdag, 27 september

Zo, daar ben ik weer, en nu even alles in de goede volgorde. Mijn ouders zijn weer naar Spanje en mijn huis lijkt in één klap stukken groter. Op de dag dat mevrouw Stemmerle overleed vond mijn moeder dat ze me op dit moeilijke moment onmogelijk alleen konden laten. Mijn vader heeft de huurauto trouwens grondig bekeken toen ik hem terugbracht. Of er krassen in de lak zaten en zo. Hij controleerde zelfs de kilometerstand, en vond koekkruimels op de stoelen. Om een eind te maken aan die ellende beweerde ik dat Flori een paar weken bij me kwam wonen omdat hij de villa uit moest. We zouden allemaal een beetje moeten inschikken. Dat werkte. Ze maakten zich meteen uit de voeten.

Michel belde ook nog een keer op, maar eigenlijk alleen omdat hij Justin al dagen niet kon bereiken. Ik heb het toen zelf een paar keer geprobeerd, zonder succes, en ben uiteindelijk naar zijn huis gereden. Zijn moeder deed open en ik ging naar zijn kamer op zolder. Hij lag op bed met zijn koptelefoon op naar heavy metal te luisteren. Hij zag me niet eens. En omdat ik eigenlijk ook geen zin had om te praten, ging ik meteen weer weg.

Daarna belde ik Michel op om te zeggen dat alles oké was. We zaten een tijdje te praten en natuurlijk vertelde ik ook over de ruzies bij je bed. Dat het echt schandalig was wat daar gebeurde en dat dat je allemaal zo ziek maakte. Michel zei dat hij het heel erg vond en dat hij ook graag bij je zou zijn. Maar ik legde uit dat het nu geen zin had, omdat er niemand bij je naar binnen mocht. En als het wel mocht, merkte jij er toch niets van. Bovendien was de ruziënde meute rond je bed groot genoeg zo. Dat begreep hij wel.

Je toestand is een beetje verbeterd, de koorts is gezakt en Nele mocht zelfs al samen met je ouders naar binnen. Ook het rooster hangt er nu eindelijk, jammer genoeg pas voor volgende week, maar ik heb mijn naam al ingevuld. Daarna heb ik nog een paar keer bij het raampje naar je staan kijken, maar daar werd mijn stemming niet echt beter van. Nu heb ik nog twee keer dagdienst en dan zijn de nachten bij de Rarevogels weer van mij, godzijdank!

Zondag, 1 oktober

Vrijdag was ik bij het ijshockey en dat deed me goed. Door de bijzondere lucht in het stadion verzoen ik me ook met de beginnende winter. Ze wonnen met 5-1. De nieuwe trainer heeft de wind eronder bij de jongens en die nieuwe doelman is echt goed. Ik zal je dinsdag de wedstrijdverslagen van het weekend voorlezen.

Na de wedstrijd was ik nog bij Sullivan's en daar liep ik Peter en Rick tegen het lijf. Zij waren aan het biljarten en ik dronk een biertje aan de bar. We zeiden geen woord tegen elkaar. Op een gegeven moment vroeg de barkeeper: 'Alles oké met jullie, jongens?' En wij in koor: 'Ja, alles oké.' Verschrikkelijk. Ik vertrok zonder mijn biertje op te drinken, net als toen Rick gewoon zijn volle glas bier liet staan en mij voor gek liet zitten. Ja, ik vond het wel iets hebben.

Verder was het een rustig weekend, ik hoefde niet eens mijn huis schoon te maken, want dat had mijn moeder al grondig gedaan. Ik heb dus een groot deel van de tijd doorgebracht op de bank, was één keer even bij je, maar de plek bij het raam was bezet door Peter. Hij bleef maar kijken hoe zijn Nele jouw hand vasthield. Om misselijk van te worden. Morgen begint mijn nachtdienst. Op je rooster heb ik mezelf ingevuld voor dinsdagochtend acht uur.

Woensdag, 4 oktober

Ik zit bij de Rarevogels, het is even na middernacht en ik weet niet waar ik moet beginnen. Als eerste misschien bij jou. Toen ik dinsdagochtend naar je toe ging, stonden Bonsai en je moeder op de gang heel opgewonden met elkaar te praten. Zodra je moeder me zag, kwam ze op me af en zei dat het goed was dat ik er was en dat ik meteen moest meekomen. Bonsai probeerde nog te zeggen dat we niets moesten overhaasten, en ik wist niet wat me overkwam, maar je moeder sleepte me aan mijn arm je kamer in. Je vader stond aan de ene kant van het bed en Nele aan de andere kant, zodat ik je eerst helemaal niet kon zien. Maar toen zag ik dat je je ogen open had. Geen piepklein spleetje, nee, open, echt open. En je ogen bewogen. Ze zochten heel langzaam het plafond af, millimeter voor millimeter. Ik zei: 'Niet te geloven! Hoe lang doet hij dat al?' En je moeder antwoordde: 'De nachtzuster belde, rond halfvier. We zijn natuurlijk meteen gekomen en sindsdien kijkt hij naar het plafond.'

Zo stonden we allemaal behoorlijk onder de indruk om je heen, en op een gegeven moment viel je in slaap. Je reageerde niet. Niet op de stemmen en ook niet toen Bonsai een kussen in je rug schoof zodat je niet steeds naar het plafond hoefde te staren. Daarna staarde je naar de muur. Ook als we voor je gaan staan en recht in je gezicht kijken, dwalen je ogen rustig en gelijkmatig rond. Het lijkt of je echt naar het gezicht kijkt en niet erdoorheen, maar zonder enige reactie. Dat kan ons niets schelen, want zo ver ben je nog nooit gekomen. Het is een reuzenstap die je hebt gezet en de volgende komt er ook, Max. Ik ben trots op je!

Het werd Nele allemaal te veel, zodat opeens haar weeën begonnen. Een beetje vroeg, hoorde ik, maar niets om je zorgen over te maken. Ze ligt nu twee etages onder je op de geboorte van haar kind te wachten. Je moeder en Peter zijn bij haar. Je vader zet geen stap buiten je kamer.

Maandag tijdens mijn eerste nachtdienst miste ik mevrouw Stemmerle natuurlijk, en ons gesprek dat we elke nacht om halfdrie hadden. Ik ging verdrietig op haar bed zitten, en was zo in gepeins verzonken dat ik de tijd vergat. Walrika haalde me uiteindelijk terug naar de werkelijkheid. Ze ging naast me op bed zitten en zei: 'Mevrouw Stemmerle is gestorven omdat de cirkel rond was, Niels. Ze heeft vrede gesloten met het verleden. Ze wilde allang sterven, al jaren, weet je. Maar ze durfde gewoon niet. Ze wilde Jasmin niet onder ogen komen in het hiernamaals. Nu kon ze dat wel, omdat ze zich heeft verzoend met het meer. Met het meer en met haar geweten. Mevrouw Stemmerle had zondag de mooiste dag in meer dan tien jaar. Daarna is ze gestorven. Ik zou God nu al danken als ik ooit ook zo mag gaan. En nu is het tijd voor het ontbijt. Niet bij de pakken neerzitten, in godsnaam.'

Nu ik aan mevrouw Stemmerle denk, zoals ze daar aan de oever van de Starnberger See het bootje stond na te kijken, realiseer ik me hoe goed ze er toen uitzag, Max. Haar wangen waren rood en haar ogen glashelder en rustig. Zo mooi had ik haar nog nooit gezien. Als een kleurig esdoornblad, voordat de herfstwind het meeneemt.

Nou, het is weer eens tijd om mijn ronde te doen, ben morgen natuurlijk bij je.

Donderdag, 5 oktober

Het kind is geboren en het is een meisje. De bevalling ging moeizaam en duurde lang, maar er waren geen complicaties. Moeder en kind maken het goed, zeggen ze dan toch? Ik zou je graag feliciteren, Max, maar de situatie is er niet naar. Eerst eens zien wie van jullie tweeën de vader is. Peter is in elk geval de kraamafdeling niet meer af te krij-

123

gen en zit bij wijze van spreken dag en nacht op de rand van Neles bed. Dat vertelde je moeder. En dat ze nog nooit zo'n mooi kindje had gezien en dat het natuurlijk sprekend op jou lijkt. Je vader zei dat hij het kind niet wilde zien totdat duidelijk is of jij de vader bent.

Bij jou is er sinds gisteren niets veranderd. Toen ik binnenkwam zat je half overeind in bed en ik keek naar je gezicht. Jij ook naar het mijne, heel even maar. Daarna ging je blik terug naar de muur. Ik nam je hoofd in mijn handen en draaide het zo naar me toe dat je me wel moest aankijken. Ik praatte hardop tegen je. Je keek me een tijdje aan, maar ik geloof niet dat je me zag. Meteen daarna ging je blik terug naar de muur. Ik ben op de vensterbank gaan zitten en keek naar de oude kastanje. Je zoekende blik maakt me zenuwachtig. Later las ik je de sportberichten voor.

Zondag, 8 oktober

Hallo Maxim,
Was gisteren bij je, maar jammer genoeg niet alleen, want sinds je je ogen hebt opengedaan hangt je vader bij je rond. Ik zat op de vensterbank toe te kijken hoe je vader je waste. Je lag daar met ontbloot bovenlichaam en liet je ogen langzaam langs de muur dwalen. Je spieren zijn compleet verdwenen, Max. Je bent wit en slapjes, als een sneeuwbal die zomaar wegsmelt.

Op een gegeven moment ging de deur open en stond Nele daar met het kind op haar arm. Je vader draaide zich om en keek haar aan. Ze bleef hulpeloos in de deuropening staan, toch met iets van trots op haar gezicht. Je vader zei: 'Heb je de uitslag van de vaderschapstest al?' en zij zei: 'Nee, maar...'

Hij liet haar niet eens uitpraten. Hij ging verder met wassen en zei: 'Wegwezen dan!' Even later kwam je moeder snuivend van woede de kamer in. Ze zei dat hij ontzettend onbeschoft was en dat het ook zijn kleinkind was. Hij moest gewoon maar eens naar het meisje kijken, dan zou hij het zelf zien. Je vader zei dat hij het zwart-op-wit wilde en dat ze nu haar kop moest houden omdat jij anders weer ziek zou worden van al dat lawaai.

Toen ging ik weg. Nu weet ik ook waarom je vader de laatste tijd dag en nacht bij je zit, Max. Niet sinds je je ogen open hebt, zoals ik eerst dacht, maar sinds het kind er is. Hij bewaakt je, Max. Hij wil voorkomen dat Nele het kind bij je brengt. Hij wil voorkomen dat Nele een koekoek bij je in bed legt.

O ja, Flori is sinds de begrafenis van mevrouw Stemmerle weer bij de Rarevogels. Het heeft hem allemaal nogal aangegrepen en ik denk dat hij niet terug durft naar de oude villa. Tenslotte had mevrouw Stemmerle gezegd dat hij daar mocht wonen. Een paar dagen geleden vertelde ik Flori dat meneer Stemmerle bij het meer had gezegd dat hij het ook fijn vond als er iemand voor het huis zorgde en zo. Daar was hij wel blij om. Maar hij bleef toch liever bij ons.

Donderdag was Zina opeens bij de Rarevogels. Ik was er jammer genoeg niet bij, maar Walrika vertelde het op het balkon. Zina en Flori hadden hand in hand een wandelingetje door de tuin gemaakt. Later zei Walrika tegen me: 'Die twee passen heel goed bij elkaar. Wat Florian te weinig praat, praat zij te veel. Ze maakt hem aan het lachen en dat is in godsnaam het belangrijkste wat er is.' Nou, in elk geval ga ik Flori vanmiddag naar het meer brengen, eens zien of hij daar wil blijven.

Flori is toch mee teruggegaan naar de Rarevogels. 's Middags waren we bij het meer, het weer was nog goed, wel koud maar zonnig. We voeren een stukje met de boot en waren allebei verdiept in onze eigen gedachten. Aan het eind zei Flori dat hij niet kon blijven, omdat hij op dit moment niet alleen kon zijn. Dus nam ik hem weer mee naar huis.

Gisteren was ik na mijn werk bij je, Max. Je vader zat in een stoel te slapen. Ik vind eigenlijk dat hij een beetje overdrijft, en hij moet zich hoognodig een keer douchen. Wat heeft het voor zin als hij jou wast maar zelf stinkt als een bunzing? Ik zat heel stilletjes je vingers te masseren en je kneep een paar keer in mijn hand. Ik hield mijn gezicht vlak voor het jouwe zodat je me wel moest aankijken, en dat deed je ook. Toen ik mijn hoofd wegtrok, was je er even naar op zoek. Je ogen volgden de richting van mijn hoofd, maar bleven meteen weer aan de muur kleven. Het maakt niet uit. Je gaat vooruit, Max.

Die snor is trouwens terug van vakantie, zo bruin als een tor, en ik vroeg hem hoe je vandaag de dag nou nog zo stom kon zijn om je bloot te stellen aan die gevaarlijke uv-straling. Hij grijnsde. Daarna hebben we even over jou zitten praten, hij was heel enthousiast over je ontwikkeling. Je krijgt straks fysiotherapie, drie keer per week. Ze hadden nu een ingang bij je die er eerder niet was en konden dus intensief met je werken. Zie je Max, het gaat eindelijk de goede kant op.

Het kind heeft trouwens een naam gekregen: Maxine Elisa. Ik denk naar de voornaam van de vermoedelijke vader. Peter nam het kalmpjes op en haalde Nele gisteren op uit het ziekenhuis om haar naar huis te brengen. Maar eerst heeft hij nog geprobeerd om Nele en het kind bij je naar binnen te smokkelen. Hij stond in de deuropening en zei: 'Meneer Ellmeier, zou ik u even mogen storen...' En je vader antwoordde: 'Dat doe je al weken!'

Toen is Peter weggegaan, samen met Nele en het kind. Daarna kregen je ouders weer ruzie. Alles waar ik niet bij ben, vertelt je vader me. Eigenlijk ben ik de enige met wie hij nog praat. Ik vertelde hem eerlijk dat hij stonk. Toen zei hij dat hij even naar huis ging om te douchen en schone kleren aan te trekken, en dat ik de deur ondertussen niet uit het oog mocht verliezen. 'Nele niet en die kleine niet. Duidelijk?' zei hij, en weg was hij.

Gisteren ben ik trouwens vóór mijn werk naar Justin gegaan. Ik kwam net aanrijden toen hij zilveren schalen stond in te laden in de bestelwagen van PARTYSERVICE BRENNINGER. EXQUISE DELICATESSEN. Dezelfde tekst stond op zijn T-shirt en zijn pet. Ik vertelde in het kort wat er de afgelopen dagen allemaal was gebeurd en dat het goed met je gaat. Hij deed zijn pet af, haalde zijn hand door zijn haar en was blij. We besloten een biertje te gaan drinken om te vieren dat je beter wordt.

Zaterdag, 14 oktober

Ja, Maxim, nu is het officieel. Jij bent de trotse vader van Maxine Elisa. Toen de uitslag van de test er was, verdween de spanning. Je vader vertelde het me vrijdagochtend en nu hoef ik dus niet meer de deur te bewaken terwijl hij gaat douchen, zoals de afgelopen dagen. Hij was heel rustig toen hij het zei, niet blij, eerder onverschillig. Eigenlijk bijna alsof hij teleurgesteld was over de uitkomst. Alsof ze hem zijn taak om jouw bed te bewaken hadden afgepakt. Nou ja. Het lijkt opgelost. Hopelijk komt er nu een eind aan het geruzie. Heb vanavond met Justin afgesproken bij Sullivan's.

Zondag, 15 oktober

Het is nu vlak voor middernacht en ik moet je dit nog snel even schrijven hoewel ik omval van de slaap. Ik was gisteren dus een paar biertjes gaan drinken met Justin en we waren net de gebeurtenissen van de afgelopen weken aan het herkauwen – hoe het gelopen was met onze vriendschap en waarom we allemaal ruzie hadden, juist nu we elkaar het hardst nodig hadden, enzovoort. Nou ja.

Opeens vloog de deur open en kwam Rick binnenstormen. Hij zocht heel Sullivan's af en vroeg uiteindelijk of wij Peter hadden gezien. Maar dat hadden we niet. Hij vertelde dat Nele gisterochtend vroeg de uitslag van de vaderschapstest aan Peter had verteld, net toen hij het kind op zijn arm had. Hij had het kind zwijgend aan Nele gegeven en was de deur uit gelopen. Ze had 's avonds nog met hem gebeld en hij had gezegd dat hij even rust nodig had en daarna weer iets van zich zou laten horen. En nu konden ze hem niet vinden. Rick niet en Nele niet. Niet via de telefoon en niet thuis. We lieten ons bier staan (alweer) en reden naar Peter.

We belden aan, klopten en bonsden op zijn deur en trapten die uiteindelijk in. Daar zat Peter wijdbeens in zijn ochtendjas, met niets eronder aan, op een stoel. Dat was geen fraai gezicht. Hij had een lege jeneverfles in zijn hand en er hing een druppel aan zijn neus. We keken even rond of we ergens pillen of een afscheidsbrief zagen, maar we vonden gelukkig alleen nog twee jeneverflessen, die ook leeg waren. We hebben hem net zo lang door elkaar geschud en tegen hem geschreeuwd tot hij wakker werd. Hij was ladderzat, dat kun je je wel voorstellen, en erg agressief. Hij zocht meteen ruzie en lalde dat we ons niets aantrokken van zijn verdriet en nu alweer gekomen waren om hem uit te lachen omdat hij zo'n loser was. Hij wankelde met gebalde vuisten op ons af en de druppel aan zijn neus slingerde angstaanjagend. We hebben hem in het bad gegooid, waar nog koud water in stond. We zetten koffie en bakten roerei, droogden Peter af als een klein kind, kleedden hem aan en zetten hem op de bank. Nadat hij had gegeten ging het langzaam beter met hem. We hebben de hele nacht bij elkaar gezeten, Max, tot ver in de ochtend, en toen vielen we één voor één in slaap. Peter zei dat het weer net zo was als die keer dat zijn moeder er met die kermisklant vandoor was gegaan. Dit was precies hetzelfde. Alleen was hij deze keer niet zijn moeder kwijt, maar zijn dochter.

Hallo Maxim,

Was de afgelopen dagen bij je. Je gaat vooruit, maar met kleine stapjes. Die snor zei dat we geen wonderen meer mochten verwachten omdat er al eentje was gebeurd. De rest heeft weer tijd nodig. Ik ben vast te ongeduldig, daar ga ik aan werken.

Nele zit nu elke dag zelfverzekerd met die kleine op de rand van je bed iedereen triomfantelijk aan te kijken. Je vader doet nog steeds of hij het kind niet ziet, en weigert het aan te raken. Dat maakt je moeder razend. Ze loopt de hele tijd met het kind in haar armen door de gangen van het ziekenhuis en vertelt aan iedereen die het horen wil, en eigenlijk ook aan wie het niet horen wil, dat de inhoud van dat wollen dekentje haar kleindochter is. Je vader wordt er superchagrijnig van en komt eigenlijk alleen nog 's ochtends vroeg bij je op bezoek, omdat er dan niemand is behalve ik. Hij denkt erover om een tijdje een hotelkamer te nemen. Hij zegt dat hij het thuis niet meer uithoudt, je moeder is alsmaar aan het bellen en praat alleen nog over het kind. Het hele huis ligt vol babyspullen en aan elke muur hangen foto's van die kleine. Zelfs toen hij gisteren het spiegelkastje in de badkamer opendeed straalde het tandeloze gezichtje van zijn kleindochter hem tegemoet.

Vandaag kwam ik trouwens Sonja Kiermeier tegen. Ze vertelde dat ze was gestopt met haar medicijnenstudie en ging trouwen met die gynaecoloog. Zo gauw hij gescheiden was. Ze zou het ons laten weten als het zover was. Nou ja.

Florian had Zina weer op bezoek en deze keer was moeder Marina er ook bij. Ik heb ze nog even gesproken toen ik binnenkwam en zij op het punt stonden te vertrekken. Zina en Florian deden een tijdje over het afscheid nemen en ondertussen praatte ik met Marina. Ze is nogal temperamentvol, en Redlich trok een wenkbrauw op toen ze voorbijliep. Uiteindelijk vertrokken ze en Flori zei dat hij komend weekend graag naar het meer zou gaan, want hij had daar afgesproken met Zina. Als het weer meezit ga ik hem brengen. De afgelopen dagen was het miezerig en somber, en de ochtendmist bedierf mijn uitzicht op de kastanje voor je raam. Verder is er eigenlijk geen nieuws. Ik heb het je ook allemaal al verteld, maar je ogen dwaalden de hele tijd langs de muur.

Vrijdag, 20 oktober

Vandaag was ik vóór mijn werk bij je en ik kwam toevallig binnen toen je fysiotherapie net begonnen was. Een kerel met een paardenstaart en een brilletje was druk bezig je benen op te tillen en weer neer te leggen. Hij had een koptelefoon op en knikte met zijn hoofd op de maat van de muziek. Toen begon hij te zingen. Hij luisterde waarschijnlijk naar David Bowie, zo klonk het in elk geval. Druk knikkend en hard zingend was hij met je benen in de weer. Hij had me helemaal niet gezien, want hij stond met zijn rug naar me toe. Ik ging op de vensterbank zitten en bekeek het allemaal een tijdje. Hij was heel ontspannen aan het werk en de bewegingen die hij met je benen maakte zagen er professioneel uit. Toen hij uiteindelijk met je armen aan de slag ging, zag hij me zitten. Hij salu-eerde even, zonder te stoppen met zingen. Ik keek naar jou en kon je vanaf de vensterbank jammer genoeg niet goed zien, maar toch had ik kunnen zweren dat je lag te grijnzen. Ik stond op en liep naar je bed, en daar lag je met een grijns op je gezicht. Eindelijk had ik een getuige! Het was de allereerste keer dat ik niet alleen met je was als je lag te grijnzen, Max. Ik tikte die paardenstaart op zijn schouder en hij zette zijn koptelefoon af. 'Maxim ligt te grijnzen, hè? Heel duidelijk toch?' vroeg ik. En die paar-denstaart zei: 'En of-ie ligt te grijnzen. Hij houdt wel van gymnastiek, hè sportman?' en hij tikte op je slappe boven-armen. 'Bovendien is hij gek op Bowie.' Toen zette hij zijn koptelefoon weer op en ging verder met zingen.

Maandag, 23 oktober

Ik zit je bij de Rarevogels over het weekend te schrijven. Zaterdagmiddag was ik bij je. Dat moment had ik speciaal gekozen, omdat ik eindelijk weer eens wilde uitslapen en ook nieuwsgierig was. Ik wilde zien hoe het gaat met de goede voornemens die we laatst bij Peter hebben gemaakt. Die nacht besloten we te stoppen met ruziën, omdat we al jaren goede vrienden zijn en elkaar juist nu moeten hel-pen.

Ik ging naar je toe en de eerste die ik tegenkwam was je moeder. Ze liep op de gang, met het kind in een wollen dekentje in haar armen, en vertelde me dat je vader uit huis is gegaan omdat hij Maxine Elisa niet wil accepte-ren. Ze zei het op een toon alsof ze een ladder in haar

kous had, maar dat had ze misschien nog wel erger gevonden. 'Ach, die draait wel weer bij,' zei ze, en ze hield
de a van 'ach' zo lang aan dat het een neerbuigend toontje
kreeg. Ik ging bij je naar binnen en daar zat Nele op mijn
vensterbank naar mijn kastanje te kijken. Dus ging ik je
op de rand van je bed de sportberichten voor zitten lezen
en jij liet je ogen langs de muur dwalen. Op een gegeven
moment zei Nele: 'Denk je nou echt dat hij geïnteresseerd is in die sportberichten?' Ik hield op met lezen en
begon je hand te masseren. Je reageerde op de druk, met
allebei je handen. Ik nam je hoofd in mijn handen, zodat
je me kon aankijken, en dat deed je ook. Je tastte met je
ogen mijn gezicht af. Ik praatte met je en jij liet je ogen
over mijn gezicht dwalen. Op een gegeven moment werd
je hoofd te zwaar en liet ik het terugzakken op je kussen.
Daarna dwaalden je ogen weer langs de muur. Ik vroeg
Nele of zij wist hoe het met Peter ging, maar ze schudde
alleen haar hoofd en keek naar de grond. Ze zag er heel
verdrietig uit.

Later kwam Justin even aan het voeteneind van je bed
staan. Hij keek een tijdje naar je en zei toen dat hij het
niet meer kon aanzien. Hij kon er niet meer tegen. Hij
vond dat je er met je draaiende ogen uitzag als een verstandelijk gehandicapte. Eerst sliep je alleen maar, dat was
erg genoeg, maar nu lag je daar verdomme als een mongool met je ogen te draaien. Nele sprong op en hamerde
met haar vuisten op zijn borst. En ik kwam ertussen en
nam Justin mee de kamer uit. Op de gang zei ik dat hij dit
niet kon maken. Dat jij waarschijnlijk alles kon horen en
dat dit soort commentaar echt waardeloos was. Justin
duwde me weg en zei: 'Als Maxim beter wordt, blijft hij

een verstandelijk gehandicapte. Dat kan niet anders. Je kunt beter hopen dat hij doodgaat!'

Dat heb ik je natuurlijk niet verteld, maar ik moet het wel opschrijven. En als je dit ooit leest, heeft Justin zich godzijdank vergist, ja toch, Max?

Toch liet het me op een of andere manier niet los en dus ging ik vanochtend vroeg naar het kantoor van die snor om te vragen hoe het zat met je geestelijke toestand. Daar werd ik niet echt wijzer van. Hij keek me aan over de dossiers en zijn bril en zei dat hij evenveel wist als wij. Hij zegt dat ze alle denkbare onderzoeken bij je hebben gedaan, en dat alles mogelijk is. Dat je weer helemaal de oude wordt, dat je toestand nog verbetert, dat je toestand niet verbetert en in het ergste geval dat je doodgaat, maar daar gaan we niet van uit, zei hij. Maar een nieuwe long-ontsteking, een verkoudheidje, het kan allemaal je dood betekenen. Hij wist het dus gewoon niet en hij vond het ook heel jammer dat hij niets beters te melden had. Eigenlijk mocht hij me zelfs dat niet vertellen omdat ik geen familie ben. Nou ja.

Ik ben trouwens zaterdag na het ziekenhuis bij Peter langsgegaan om te kijken hoe het met hem ging. Hij deed de deur op een klein kiertje, had zijn ochtendjas nog aan en zei dat hij rust nodig had. Er was de laatste maanden te veel gebeurd wat hij nu eerst moest verwerken. En hij moest ook steeds aan zijn moeder denken en aan de kleine Mila. Hij zei dat hij het meisje Mila had genoemd omdat hij Maxine niet over zijn lippen kon krijgen, gewoon omdat het jouw naam is, Maxim. Daarom noemt hij haar Mila, van Maxine en Elisa. Meer kreeg ik er jammer genoeg niet uit, want hij deed de deur voor mijn neus dicht. 'Je doet jezelf toch niets aan, hè?' riep ik, en hij schreeuwde: 'Nee!' Toen riep ik nog: 'Zweer het op Mila!' Het werd even stil. Maar daarna deed hij de deur weer op een kiertje en zei: 'Ik zweer het op Mila, Niels!'

Gisteren ben ik met Flori naar het meer gegaan en heb hem daar toevertrouwd aan Zina. In veilige handen achtergelaten, zal ik maar zeggen. Ook meneer Stemmerle vond het goed dat die twee daar een tijdje samenwonen. Toen ik naar huis reed regende het, en het was akelig koud. Ik denk dat het de laatste rit was dit jaar, en ik moet nu eindelijk eens de garage opruimen zodat de Zündapp erin past. Zo, dat was mijn weekend. Wordt vervolgd.

Vrijdag, 3 november

Dag Maxim,
Ik heb je een poosje niet geschreven, maar ga het allemaal inhalen, man. Ik ben zwaar verkouden geworden op de Zündapp en heb een week in bed gelegen. Ik mag natuurlijk nog niet bij je naar binnen. En ik mag ook niet te dicht bij de bewoners komen, zei Walrika. Maar dat is 's nachts niet zo moeilijk. Ik begin langzaam beter te worden en ook mijn zelfmedelijden wordt elke dag minder.
Gisteren was ik jarig. Mijn eerste verjaardag zonder jou, in elk geval zolang ik me kan herinneren. En ik kon je niet eens opzoeken in het ziekenhuis. Omdat ik overdag mijn telefoon uitzet vanwege mijn kostbare slaap, konden alleen mijn ouders me bereiken. Ze belden toen ik 's avonds net onder de douche vandaan kwam, vlak voordat ik naar mijn werk moest. Ik stond bloot op de gang en het water

droop op alle denkbare plaatsen van me af. Nadat ze me gefeliciteerd hadden, vroeg mijn vader of ik nog vorderingen had gemaakt met de trombone. Om een of andere reden sprong ik uit mijn vel. Ik schreeuwde dat ik dat stomme ding nooit had gewild. Dat ik gewoon een keer op een kinderfeestje op een lichtgroene plastic trombone had staan blazen, net als alle andere kinderen. Maar dat geen enkele andere vader de volgende dag de deur uit was gerend om een trombone te kopen omdat hij vond dat zijn kind zo talentvol op dat plastic ding had staan blazen. En dat hij me in godsnaam voortaan met rust moest laten over dat stomme ding. Hij zei dat hij het wel begreep, op een verjaardag kwamen vaak emoties naar boven, dat overkwam hem ook. Morgen is weer een normale dag, dat zul je zien jongen, zei hij. En het gaf niet wat ik allemaal had gezegd, omdat hij diep in zijn hart wist dat ik diep in mijn hart van de trombone hield. Daarna ben ik bloot en druipend met de trombone naar zolder gegaan om hem terug te leggen waar ik hem had gevonden. Mijn buurvrouw haalde net haar was van de lijn en keek me nogal raar aan. Nou ja.

Walrika kwam me op het balkon een klein tulbandje met kersen brengen en ze had ook een flesje champagne onder haar habijt. Later belden Justin en Rick me samen op bij de Rarevogels en blèrden 'Happy birthday' in de hoorn. Ze zeiden dat ze bij Sullivan's mijn verjaardag aan het vieren waren. Ik moest me nu eens niet zo aanstellen en ook komen. Mijn bewoners kon ik gewoon meenemen. Dan zetten we het met z'n allen op een zuipen. Natuurlijk.

Gisteren ben ik naar het ziekenhuis geweest om te

horen hoe het met je ging. Ik mocht nog niet bij je naar binnen. Je moeder paradeerde door de gangen met die kleine en na een tijdje zag Nele me bij het raampje staan. Ze kwam naar buiten en zei dat er niets was veranderd. Je keek rond en kneep in handen, maar verder was er geen nieuws. Ik vroeg of ze jou het kind al een keer had laten zien, en ze zei van niet. Je moeder houdt haar af en toe boven je hoofd, maar omdat je ogen alleen langs de muur dwalen, zie je dat niet. Ik zei dat ze haar eens op je borst moest leggen. Je zou het vast veel eerder merken als je het kind voelde.

Toen je moeder even later terugkwam van haar ronde legde Nele het kind op je borst. Geen dekentje ertussen en geen vreemde hand. Gewoon vader en kind. Daarna pakte ze je handen en legde die op het ruggetje van die kleine. Je moeder stond met een hand voor haar mond bij je bed en je kon zien hoe ontroerd ze was. Nele knielde vlak bij jullie naast het bed en zei: 'Dit is je dochter, Maxim. Ze heet Maxine Elisa.'

Ik stond voor het raampje in de deur en was vast de eerste die de traan zag die over je wang rolde, Max. Ik draaide me om en liep weg. Pas na een heleboel stappen hoorde ik de opgewonden stemmen van de vrouwen die de tranen op je gezicht hadden ontdekt.

Zondag, 5 november

Ik ben helemaal vergeten te vertellen dat we op Allerheiligen met z'n allen bij het graf van mevrouw Stemmerle zijn geweest. De bewoners waren erbij en natuurlijk Walrika en meneer Stemmerle, die Flori had meegenomen. We stonden om het verse graf heen, de zwarte aarde was een beetje bevroren. Ook de bloemen hadden een laagje suikerglazuur gekregen en onze adem wolkte al wit. Het was koud en troosteloos en toch had het iets ongelooflijk moois. De begraafplaats was vol met mensen en een kapel speelde treurmuziek. Ik weet niet wie ermee begon, waarschijnlijk een van de bewoners. In elk geval pakte plotseling iemand mijn hand en toen ik om me heen keek, had zich een kring gevormd. Een kring om het graf van mevrouw Stemmerle. Ik keek naar de gezichten van de mensen in de kring en iedereen knikte me toe. Vriendelijk en vol vertrouwen. En mevrouw Stemmerle lag precies in ons midden. Dat was fantastisch, Max. Al onze bewoners is in het verleden iets heel ergs overkomen, weet je. Iets waardoor ze geen gewoon leven meer kunnen leiden. En ondanks dat geven die mensen me zo'n vertrouwen als bijna nog nooit iemand heeft gedaan.

Ineens moest ik denken aan die keer dat wij met z'n tweeën zijn weggelopen van huis. Weet je dat nog, Max? We waren een jaar of tien, elf. We hadden een film gezien waarin een jongen van huis wegloopt en allemaal spannende avonturen beleeft. Dat wilden wij natuurlijk ook. We pakten onze spullen in kleine rugzakjes, en bij mij zaten er ook een snorkel en zwemvliezen in omdat de jongen in die film steeds aan het duiken was. Het was eind oktober en ik had niet eens een sjaal bij me. Maar wel een snorkel en zwemvliezen. Nou, in elk geval waren we toch wel twee dagen en een nacht onderweg. De eerste dag kochten we allebei een pizza van ons gezamenlijke geld en toen waren we blut. We hadden het ons een beetje anders voorgesteld, hè? In die film ging het allemaal zo makkelijk. Maar wij hadden enorme honger en stierven van de kou en zijn uiteindelijk op het centraal station van München opgepakt door de spoorwegpolitie. Mijn ouders haalden ons op en brachten jou naar huis. Daarna moest ik met ze mee naar het graf van mijn opa en oma, want het was Allerheiligen. Ik had daar nog nooit mee naartoe gehoeven, want ze vonden dat niets voor een kind. Maar deze keer moest ik mee. Ze vertrouwden me gewoon niet meer. Hoewel ik er die dag echt niet meer vandoor zou zijn gegaan.

Een paar dagen later besloten we dat we 'm de volgende keer in de zomer zouden smeren, als het warm was en we konden duiken. Dan zouden er ook overal vruchten groeien, waar we fantastisch van konden leven. Jammer genoeg hebben we er later niet meer aan gedacht. Wie weet, Max, hadden we anders allang in Amerika gezeten en was onze droom uitgekomen en reden we als cowboys door de wildernis.

Wat ik nog moet vertellen: de avond voor het bezoek aan het kerkhof aten we pompoensoep bij de Rarevogels. De bewoners hadden dagenlang gezichten in pompoenen zitten snijden en Walrika zette die voor het gebouw, met kaarsjes erin. Ze had duivelshoorntjes op haar hoofd en een rode cape over haar habijt. En een zelfgeschminkte snor, waarvan de vorm een beetje ongelukkig was gekozen en die me heel sterk aan Hitler deed denken. De hele avond kwamen er kinderen uit de buurt aan de deur voor snoepjes. En Walrika stond de hele tijd uit te delen. Haar snor deed het vooral goed als ze haar rechterarm strekte om de kinderen uit te zwaaien.

Was vandaag vóór mijn werk bij je en liep je vader tegen het lijf. Hij vertelde dat hij de scheiding had aangevraagd. Ik sloeg bijna steil achterover. Hij rook een beetje naar alcohol en zei dat hij geen raad meer wist met de situatie. Niet met jou en ook niet met je moeder, laat staan met het kind. Hij was bij je om afscheid te nemen en ging nu eerst naar zijn broer in Gelsenkirchen. Misschien bleef hij daar wel, dat wist hij nog niet, hij kon als freelancefotograaf overal aan de slag. En het kon hem niet schelen waar hij zijn foto's maakte. Hij nam de hond mee, zei hij. Jij kon hem nu toch niet gebruiken en je moeder had die kleine. We namen afscheid, maar ik voelde me er een beetje raar onder.

Daarna ging ik naar je kamer en daar zat je moeder op de rand van je bed, deze keer zonder Nele en kind. We hebben een hele poos samen bij je gezeten en ook met elkaar gepraat, Max. Maar ze zei geen woord over je vader. Ik zou weleens willen weten of ze het me niet wilde vertellen of dat ze het zelf niet begrijpt. Niet wil begrijpen wat er gebeurt. Maar ik durfde het niet te vragen en ging toen maar weer weg. Ze maakte niet de indruk dat ze gauw het veld zou ruimen en daarom ging ik gewoon als eerste weg.

Op het balkon vertelde ik Walrika over de scheiding van je ouders. Ik zei dat ik er best moedeloos van werd, dat er nu ook nog zoiets bij kwam. Dat jullie gezin er voor elkaar moest zijn, juist nu. En Walrika zei: 'Sommige gezinnen groeien van een zware beproeving, andere gaan eraan kapot. Daar zit niets tussenin. Er is geen gezin waarbij het leven weer zijn normale gang gaat, Niels, nergens op de wereld. En een gezin dat een zware beproeving niet gezamenlijk doorstaat, zou vroeg of laat toch uit elkaar zijn gevallen.' Ze heeft vast gelijk, maar het troost me niet. Moet nu mijn ronde doen.

Maandag, 13 november

Maxim, vriend,
Ze hebben je in een rolstoel gezet! Niet te geloven. Toen ik gisteren bij je was zat je in een rolstoel bij het raam naar de kastanje te kijken. Jammer genoeg zit er geen blad meer aan de boom, hij staat daar maar kaal en leeg te zijn met zijn oude knoestige takken en laat zich bekijken. Toont waar het om gaat. Geen bladeren als versiering, geen rode bloemen, alleen de machtige stam met al zijn takken en twijgjes die er jarenlang over hebben gedaan om te worden wat ze zijn. Net als jij, Max. Je bent nog het oude geraamte, zit een beetje scheef in je rolstoel en laat je bekijken. Dat is alles. En dat is ook genoeg. Genoeg om mee te beginnen. Je bloemen en bladeren zullen volgen. Net als bij de kastanje. Je zult je stem terugvinden en je gehoor. Je benen zullen de grond terugvinden en je ogen zullen weer zien, zonder rondjes te draaien. Daar geloof ik heilig in. Er is nog een lange weg te gaan en we moeten geduld hebben. Maar ook de kastanje heeft tijd nodig voordat zijn versiersels terugkomen. Daar kunnen we op wachten, zeker weten.
Je zit dus bij het raam en ik ga bij je zitten. Je blik dwaalt over de kastanje en ik pak je hand. Daar reageer je

duidelijk op en je zoekt met je wiebelende hoofd het mijne. Uiteindelijk vind je het en als jouw blik me bereikt, knijp je in mijn hand. Dat is geweldig, Max, zoiets had ik kort geleden beslist niet voor mogelijk gehouden. Toen je in die nevelslierten lag en ik je niet eens kon zien door het raampje in de deur van je kamer. Op dat moment was je verder bij me vandaan dan ooit tevoren. Maar nu ben je er weer en knijpt in mijn hand. Je hoofd wiebelt naar het raam en de kastanje, maar de druk van je hand blijft. Ik knijp terug en vertel je dit.

Vrijdag, 17 november

Ik zit onder een schemerlamp bij de Rarevogels en schrijf je een paar regels, Max. Ik bedacht net dat ik sinds zondag geen daglicht meer heb gezien. Als ik 's middags opsta is het al donker en als ik 's morgens thuiskom is het dat nog steeds. Nou ja.

Mijn trombone heb ik trouwens weer van zolder moeten halen, want de bewoners hadden besloten: geen trombone bij het ochtendappel, dan ook geen ochtendappel. Ze bleven gewoon in bed liggen en boycotten me. Pas toen ik zwoer dat ik de dag erna weer trombone zou spelen kwamen ze uit bed.

Walrika vroeg dinsdag op het balkon of ik op oudjaarsavond misschien een uurtje naar de Rarevogels kon komen. De bewoners zouden dat ontzettend leuk vinden en zij natuurlijk ook. Eigenlijk had ik wel kunnen bedenken dat daar weer een vuil plannetje achter zat. Maar goedgelovig als ik ben en ook een beetje omdat ik me ge-

streeld voelde, dat geef ik toe, zei ik meteen ja. Het eind
van het liedje was dat ze me daar eerst hartelijk voor bedankte en dat daarna het hoge woord eruit kwam. Ze zei
dat het geweldig was, want dan konden we mooi een to-
neelstukje instuderen voor de bewoners. En nu ga ik dus
op oudjaarsavond samen met Walrika 'Dinner for one' op-
voeren en in de rol van James de avond van de bewoners
veraangenamen. Enig. Walrika trok me meteen mee naar
de linnenkamer en liet me een rokkostuum en een pruik
met een half kaal hoofd en een grijze haarkrans zien. Ze
had het allemaal tot in de kleinste details gepland en mijn
enorme naïviteit gewoon ingecalculeerd. Ik stond daar in
de linnenkamer met het rokkostuum aan en de pruik op,
en Walrika lachte zich krom en zei steeds maar: 'Het is
niet persoonlijk bedoeld, Niels. In godsnaam, het is niet
persoonlijk bedoeld!' Ze kreeg bijna geen adem meer. Met
een mouw van haar habijt veegde ze de tranen uit haar
ogen en ze drukte me een schriftje in de hand met de tekst
die ik moest leren. Ik denk dat ik me die moeite kan besparen, want ik krijg de mensen waarschijnlijk al op de
banken met hoe ik eruitzie.

In elk geval doen we de bewoners een plezier op oudjaarsavond en dat is toch ook wat waard.

Deze week was ik na mijn werk twee keer bij je, maar je
lag in bed naar de muur te kijken. Dat is ook normaal,
want ik kom altijd heel vroeg in de ochtend. 's Middags
zit je waarschijnlijk bij het raam. Jammer genoeg kon niemand me dat vertellen. De verpleegster wist het niet
omdat ze al een paar dagen nachtdienst had, en die snor
was er ook niet. Komend weekend kom ik 's middags en

dan hoop ik dat je bij het raam zit, Max. Voor morgen-
avond heb ik met Justin afgesproken, ik moet er hoognodig eens uit.

Maandag, 20 november

Ik was zaterdag- en zondagmiddag bij je en je zat naar de
kastanje te kijken. Ik was blij dat ze je in de rolstoel hadden gezet, ook al bungelde je hoofd nogal scheef. Ik ging
op de vensterbank zitten en vertelde je over de afgelopen
dagen. Ik las je de ijshockeyuitslagen voor en nam mijn
tekst voor oudjaar met je door. Af en toe draaide je je
hoofd naar me toe (niet lang, maar toch) en kneep je in
mijn hand. Ook je moeder was er nog even, met betraande
ogen. Dat vond ze waarschijnlijk vervelend, want ze zei
dat ze later wel terug zou komen. Verder was er niemand
bij je, Max. De belegeringstaferelen van vroeger behoren
kennelijk tot het verleden.
    Zaterdagavond was ik met Justin bij Sullivan's. Een
liveband speelde Irish folk en dat was geweldig. Ook Rick
kwam later nog, maar die was jammer genoeg nogal zat
en dat versterkte zijn natuurlijke agressiviteit. Justin zei
op een gegeven moment dat hij niet meer naar je toe ging
omdat je daar verdomme maar lag als een mongool. Ik zei
dat het niet waar was, dat je al in een rolstoel zat, in mijn
hand kneep en je hoofd bewoog. Het wiebelen liet ik weg,
want dat vond ik niet zo belangrijk. Justin zei dat het geen
flikker uitmaakte of je in bed of in een rolstoel voortsuk-
kelde, het bleef sukkelen en dat kon hij niet meer aanzien.
Ik zei dat je echt vooruitging, maar verder kwam ik niet,

want Rick viel me in de rede en zei: 'Hoe lang wil je jezelf nog iets wijsmaken, klootzak? Zie je niet hoe het echt zit? Of wil je het niet zien? Maxim is dood. Die gast in die rolstoel kan nog honderd keer in iemands hand knijpen en met zijn blik langs de muren dwalen. Maar dat is onze Max niet meer, verdomme! Dat is godverdomme een mongool, en jij bent godverdomme een klootzak!'

Jammer genoeg hield de band midden in zijn laatste zin op met spelen, zodat alle blikken in Sullivan's op mij, die klootzak, werden gericht. Dat was niet fijn. Omdat ik de aandacht van de andere bezoekers niet langer wilde opeisen, zei ik maar helemaal niets meer.

Later vertelde Rick dat Peter bij Nele was geweest om de kleine Mila op te zoeken, en dat het langzamerhand beter met hem ging. Hij zei dat Peter niet meer op bezoek durft te gaan bij jou, omdat hij zich zo schaamt. Omdat hij een vuile verrader is, zou hij hebben gezegd.

Het ziet ernaar uit dat wij met ons tweeën overblijven, Max, en dat ik me geen zorgen meer hoef te maken dat iemand ons stoort.

Vrijdag, 24 november

Dag Maxim,

Vandaag over een maand is het kerstavond, dat geloof je toch niet? De tijd gaat voorbij en ook mijn tijd bij de Rarevogels zit er bijna op. Dit weekend hebben we onze kerstbazaar. Die man van de krant is weer geweest en heeft een artikel geschreven om zo veel mogelijk bezoekers te trekken. Florian is sinds een paar dagen terug, maar alleen tijdelijk omdat de tuin ook een beetje versierd moest worden. En dat heeft hij natuurlijk meesterlijk gedaan. Hij heeft feestverlichting in de oude bomen gehangen en overal potten met rode bessen en dennengroen neergezet. De ingang van de Rarevogels is versierd met een brede slinger met rode strikjes en het ziet er allemaal ontzettend gezellig uit. De bewoners knutselen dat het een lieve lust is en zijn helemaal gelukkig. In de keuken worden dag in dag uit koekjes gebakken en het water loopt me in de mond als ik het ruik. Maar als mijn benen me ondanks alle goede voornemens weer eens rechtstreeks naar de koekjestrommel voeren en mijn hand erin grijpt, kun je er vergif op innemen dat Walrika uit het niets opduikt. Maar ondanks haar gefoeter word ik steeds weer naar de trommel gedreven. Je ziet, de voorbereidingen zijn binnenkort achter de rug en we kijken allemaal opgewonden en vol verwachting uit naar de opening van de kerstbazaar.

Gisteren heb ik trouwens nog een keer aan die snor gevraagd wat de vooruitzichten zijn voor je verstandelijke ontwikkeling, omdat Justin en Rick zo stom aan het kletsen waren. Maar die snor ging net zo tekeer, Max. Misschien was hij een beetje chagrijnig. 'Nou moet je eens luisteren, Niels,' zei hij, en hij stond op vanachter zijn bureau en zette zijn leesbril af. Toen liep hij naar het raam en haalde diep adem. Pas daarna praatte hij verder: 'Weet je dat je langzaam op mijn zenuwen begint te werken? Eigenlijk dacht ik dat je me kwam bedanken voor de vorderingen die Maxim maakt. Als je nagaat dat hij kort geleden dichter bij de dood was dan bij zijn pyjama. En nu zit hij in een rolstoel, herkent zijn familie en vrienden en knijpt in hun handen. Dat is een wonder, jonge vriend. Dank God daarvoor en nu wegwezen!'

Zoals ik al zei, hij had op een of andere manier zijn dag niet.

Dinsdag, 28 november

Het weekend was nogal inspannend en daar ga ik je nu over vertellen, Max. De bazaar was in één woord een succes, er waren ontzettend veel mensen en op sommige momenten stond er een rij tot op de straat. Ja, zo'n stelletje gekken bekijken heeft juist in deze periode voor kerst een bijzondere aantrekkingskracht. En als je ook nog iets goeds voor ze kunt doen door hun knutselwerkjes te kopen, krijg je het zuivere geweten er meteen gratis bij, of niet?

De zaken liepen dus voortreffelijk en 's avonds zat Walrika in de keuken met opgerolde mouwen juichend haar bankbiljetten te tellen. Later zei ze: 'Dat moeten we volgend jaar absoluut weer doen, Niels!'

En toen bedacht ik dat ik hier volgend jaar niet meer zal zijn. Niet met Pasen en al helemaal niet met kerst, en dat maakte me een beetje verdrietig. Nou ja.

In het weekend was ik natuurlijk bij je en ik was blij te zien dat je slangetjes weg zijn. De verpleegster vertelde dat je langzamerhand weer voeding tot je zou gaan nemen. Ze waren begonnen met pap en die had je heel goed verdragen. Het slikken moest nog verbeteren, maar eigenlijk ging het verrassend goed. Later mocht ik je een bordje pap voeren, Max. En ik moet zeggen, je verlangen naar slangloze voeding moet wel enorm zijn. Daarna zaten we bij het raam in elkaars handen te knijpen. We waren weer alleen en dat vind ik verschrikkelijk. Het is pijnlijk dat ik hier zit en er verder niemand komt die me op mijn zenuwen werkt.

Daarom fietste ik daarna naar Nele en belde bij haar aan. Ze vroeg of ik binnenkwam en ging thee zetten. In de tussentijd had ik die kleine op de arm en ik bekeek haar eens heel goed. Ik kon geen overeenkomsten ontdekken. Niet met jou en ook niet met Nele. Het is gewoon een baby als alle andere. Mocht ik zelf ooit kinderen krijgen dan laat ik ze meteen na de geboorte tatoeëren, gewoon om ze in geval van nood terug te kunnen vinden. Nele zei dat ze niet meer naar je toe wilde om die kleine de aanblik te besparen. Ze is bang dat Mila daar een trauma van krijgt. Spoort ze niet helemaal of zo? Ik zei dat dat een kutsmoes was en dat ze eens een keer moest zeggen waar het op stond. Ze barstte in huilen uit en zei dat ze verliefd was geworden op Peter. Toen kon ik haar jammer genoeg alleen nog maar zeggen dat ze een leugenachtige slet was en dat ze kon doodvallen. Daarna ging ik weg.

Natuurlijk moest ik ook nog de andere kant van het verhaal horen en dus fietste ik naar Peter. Hij probeerde niet eens meer smoesjes op te hangen, maar zei recht voor z'n raap dat hij verliefd was op Nele. Ik gaf hem een dreun en ging weg.

Daarna had ik dringend behoefte aan heel veel bier en ging naar Sullivan's. Dat was zaterdagavond. En daar zat Rick aan de bar met je moeder te praten, Max. Later kwam de barkeeper erbij staan omdat hij al honderd jaar bevriend is met jouw en mijn ouders en hij gaf een paar rondjes. Je moeder vertelde dat Nele het kind niet meer wilde meenemen naar jou om het de aanblik te besparen. Ze moest huilen. Toen vertelde ze dat je vader niets meer van zich liet horen, Max, en niet eens naar jou vroeg. Ook daarvan moest ze huilen. En daarna vertelde ze al die oude verhalen over wat zij en je vader samen met mijn ouders hadden meegemaakt, en de barkeeper stond enthousiast mee te praten. Daarvan moesten ze allebei huilen. Op een gegeven moment hebben Rick en ik haar samen naar een taxi gebracht.

Rick bleef bij me slapen, we hebben naar STS zitten luisteren en oude foto's bekeken. Hij vertelde dat hij binnenkort in dienst moet en daar heel erg tegenop ziet. Bij de keuring had hij alle registers opengetrokken, maar het had jammer genoeg niets geholpen. Het enige wat die kerel had gezegd, was dat zijn baard en zijn haar eraf moesten, en daar baalt hij van. Ik eigenlijk niet, want inmiddels ziet hij eruit als Jezus Christus en als hij er dan ook nog eens zo triest bij kijkt zou hij prima aan een kruis passen. We hebben ook nog over jou zitten praten, maar ik zei geen woord over mijn bezoekjes aan Nele en Peter. Op een gegeven moment vroeg ik of hij alsjeblieft weer naar je toe wilde gaan. Hij schudde zijn hoofd en zei: 'Ik kan het niet, Niels. Ik kan het gewoon niet meer.'

Woensdag, 6 december

Gisteren had ik de eer en het buitengewone genoegen om Sinterklaas te spelen voor de bewoners. En ik moet zeggen, het was geweldig. Helemaal in het rood gekleed, compleet met baard en mijter, las ik voor elke bewoner een gedichtje dat Walrika in liefdevolle bewoordingen had geschreven. Daarna deelde ik sinaasappels, pepernoten en chocolade uit en was ik de held. De bewoners applaudisseerden en Walrika was blij. Een geslaagde generale repetitie voor oudejaarsavond.

Redlich moet ik zo geil hebben gemaakt met mijn rode tabberd dat we later in de linnenkamer zijn beland. En ik zag er blijkbaar echt goed uit in mijn verkleedkleren, want toen ik 's ochtends zo het ziekenhuis in kwam, waren de verpleegsters ook razend enthousiast. Ik liep wuivend je kamer in, en je draaide je wiebelende hoofd naar me toe en grijnsde.

Je moeder heeft trouwens een adventskrans bij je op tafel gezet en we staken de eerste kaars aan. Later kwam er een verpleegster binnen die zei dat ik die rotkaars wel moest uitblazen als ik wegging, anders zou het hele ziekenhuis nog affikken.

O ja, ik heb mijn ouders in Spanje gebeld en verteld dat je vader niets van zich laat horen en dat je moeder daarom nogal stuk zit. Mijn vader zei dat hij de jouwe ging bellen daar in Gelsenkirchen en hem eens flink de waarheid zou zeggen. Daarna volgde weer het gebruikelijke geklets, maar dat maakte niet uit want het doel van mijn telefoontje was al bereikt.

Bij de Rarevogels kregen we een nieuwe oudere dame, echt heel aardig, en ze zit nu in de kamer van mevrouw Stemmerle. Maar ik ben een gewaarschuwd mens en zal beslist niet nog een keer iemand zo dicht bij me laten komen. Ik weet dat het later toch pijn doet.

Zo, dat was het voor vandaag, ik moet nu mijn ronde doen.

Maandag, 11 december

Hallo Maxim,
Ik heb net ijverig mijn tekst voor oudjaar zitten oefenen en ik moet zeggen dat ik steeds beter word. Ik ga helemaal op in de rol van James, straalbezopen en honderd keer struikelend over een berenkop (we konden jammer genoeg geen tijger krijgen). Ten slotte beklim ik aan de zijde van Walrika, alias Miss Sophie, de trappen van de Rarevogels – en dan valt het doek. Ja, dat heeft wel iets.

Ik was in het weekend bij je en mocht je pap voeren. Dat is nogal tijdrovend, want je bent nog ongeoefend en het kwijl loopt voortdurend uit je mond. Lang voor we klaar zijn is de pap koud, maar dat maakt niet uit want warm smaakt-ie net zo smerig. Met een beetje geduld krijgen we het er wel in, Max. Na een poosje kwam je moeder en ze vertelde dat ze laatst met die snor had staan praten. Die had gezegd dat je tijd in het ziekenhuis er zo langzamerhand op zat, want ze konden niets meer voor je doen. Je hebt nu verpleging nodig en die kun je het beste in een verpleeghuis krijgen, zodat je in het ziekenhuis geen bed meer bezet houdt. Die man had heel veel geluk dat het zaterdag was en dat hij geen dienst had. Ik denk dat ik hem anders uit het raam had gehangen. Zoals vroeger, Max, weet je nog?

We zaten in de vierde of vijfde klas en hingen graag brugklassers uit het raam. Gewoon omdat we genoeg van ze hadden of zo. Op een keer lieten we zo'n knulletje ondersteboven uit het raam hangen en gleed hij gewoon uit zijn rubberlaarsjes. We schrokken ons wild en hadden enorm veel geluk dat hij in de sering viel. Hij had alleen een bloedneus en een paar schrammen, maar met wat snoep kregen we hem zover dat hij eeuwig zou zwijgen. Zo had ik het ook graag met die snor gedaan. Gewoon uit het raam laten hangen. Het liefst met rubberlaarzen aan. Maar hij was er jammer genoeg niet.

Je moeder zei dat zij je niet kon verplegen. Ze werkte de hele dag en kon je niet zo lang alleen laten. En ze moest hoognodig geld verdienen, want je vader was krenterig met de alimentatie en door zijn werk als zelfstandige was dat niet eens te bewijzen. Ze was er helemaal klaar mee, Max. Toch vond ik het wel balen dat ze het allemaal zei waar jij bij was. Jij lag daar maar en liet je blik langs de muur dwalen. Geen handdruk, geen grijns, helemaal niets. Ik vond dat heel vervelend, Max.

Ik vertelde het op het balkon aan Walrika en vroeg of we de vrije plek van Flori niet aan jou konden geven. Ze nam een diepe teug van haar sigaret en dacht na. Toen zei ze dat ze eerst met Flori moest praten over zijn verdere plannen. Maar ook als hij niet terugkomt, is het niet eenvoudig, want de plek moet toch betaald worden. Omdat je ouders niet bepaald zwemmen in het geld, zou ze het aan de commissie van donateurs moeten vragen. Die bestaat uit een paar sponsors die geld geven voor dit soort gevallen. Maar eerst moest ze zich zelf een beeld vormen van jou, zei ze, want bij de Rarevogels kunnen we geen intensieve verpleging bieden. Ze komt binnenkort bij je op bezoek en zal daarna besluiten of je voor de Rarevogels in aanmerking komt. Dus doe je best, Max.

We hebben de eerste sneeuw, Max. Het is gisteravond begonnen, ik zag het op het balkon na mijn ronde. Ik ging naar buiten om een sigaretje te roken en toen vielen de witte vlokjes uit de lucht en legden een deken over de wereld. Geweldig was dat.

Vanochtend vroeg heb ik bij de Rarevogels ontbeten. Ik smeer nu broodjes voor mevrouw Obermeier. Ik ben het gewend en ze is er net zo blij mee als mevrouw Stemmerle vroeger.

Daarna fietste ik naar huis en de sneeuw knerpte onder mijn banden. 's Middags ging ik vóór mijn dienst nog even naar jou toe en je zat bij het raam de vlokjes na te kijken die onophoudelijk neerdwarrelden. Je adventskaarsen brandden en daar was ik heel verbaasd over, want je was alleen. Er was zeker iemand voor me geweest die niet goed had opgelet toen hij of zij de deur uit liep. Ik meldde dat meteen in de personeelskamer en zei dat ze er echt op moesten letten omdat anders het hele ziekenhuis nog affikt. Vlak voordat ik weg moest, kwam waarachtig je vader binnen en hij vertelde dat hij een telefoontje uit Spanje had gekregen waar de honden geen brood van lustten. Maar hij was er nu tenminste. Eerst was ik blij, tot hij zei dat hij niet wist wat hij hier eigenlijk kwam doen. Hij had geen zin om naar je wiebelende hoofd te kijken en ook niet om je moeder tegen het lijf te lopen, en dat was allebei net gebeurd. Ik merkte meteen dat er een traan over je wang rolde en zei dat ik hem even wilde spreken op de gang. Daar vroeg ik hem waar hij mee bezig was. Hij antwoordde: 'Die jongen zal nog heel veel tranen huilen in zijn toestand. Hij moet er maar aan wennen.'

Ik zei dat hij een gemene schoft was, zonder een greintje gevoel, en dat hij beter kon oprotten. Toen gingen we allebei weg. Bij de Rarevogels schoot me opeens te binnen dat ik die stomme kaarsen was vergeten en ik belde meteen het ziekenhuis. De verpleegster zei dat ze de brand al hadden geblust. De krans had vlam gevat, waardoor het alarm was afgegaan. Ze hadden enorm veel geluk gehad dat niet het hele ziekenhuis was afgefikt. In elk geval had je nu goddank geen adventskrans meer en nou moest ze ophangen, want er waren ook nog andere patiënten behalve jij.

O ja, Walrika heeft met Flori en met meneer Stemmerle gebeld. Het ziet ernaar uit dat die jongen voorlopig bij het meer blijft en zijn kamer dus vrij is. Walrika gaat begin volgende week naar je toe om naar je te kijken en met die snor te praten, zei ze. Ze zag er trouwens ontzettend leuk uit op het balkon, ze had een paraplu bij zich vanwege de sneeuw en leek in haar golvende habijt wel Mary Poppins. Ik had niet raar staan te kijken als ze van het balkon was gezweefd.

Maandag, 18 december

Hallo Maxim,
Het is nu tegen middernacht, de bewoners liggen heerlijk te dromen en ik kan je dus rustig schrijven. Zaterdag had ik lekker kunnen uitslapen, maar dat ging jammer genoeg

niet door. Voor dag en dauw stond Rick namelijk als een idioot bij me aan te bellen en te schreeuwen dat hij weleens wilde weten waarom ik hem niets had verteld over Nele en Peter. Dat die twee verliefd zijn en nog op elkaar ook. Ik wist totaal niet wat ik moest zeggen en daarom vertelde hij (nog steeds luidkeels) dat hij gisteren bij Peter was geweest en dat ze een leuke avond hadden gehad. Ze hadden een videootje gekeken, een pizza gegeten en alles was geweldig. Op een gegeven moment ging de telefoon en liep Peter heel zacht pratend de gang op. Ricks nieuwsgierigheid dreef hem naar de deur. En toen hoorde hij het. Peter had Nele aan de lijn en fluisterde allemaal lieve woordjes in de hoorn. Toen is Rick gewoon vertrokken. Hij liet voor de zoveelste keer zijn bier staan en vertrok. Peter riep hem nog na in het trappenhuis dat we allemaal z'n reet konden likken en dat Rick dat ook aan mij moest doorgeven. Dat deed hij, die Rick.

Daarna kwamen we op het idee om crisisberaad te houden en we belden partyservice Brenninger. Toen we Justin eindelijk te pakken hadden zei hij dat hij nog een paar hapjes moest bezorgen en daarna zou komen. Hij kwam uiteindelijk 's middags en had bier bij zich. Zo zaten we met z'n drieën bij mij thuis te drinken en de hele geschiedenis door te praten. We kwamen er jammer genoeg niet uit, want onze plannen werden met elk biertje wonderlijker. Aan het eind werd Rick echt kwaad, en dat ziet er niet fraai uit met zijn zwarte baard, Max. Midden in de nacht wilde hij Peter om zeep helpen en uiteindelijk zichzelf, omdat alles beter was dan in dienst gaan. We kwamen in elk geval niet tot een goede oplossing en hebben er op een gegeven moment maar een punt achter gezet.

Was gisteren bij je en dat is op dit moment nogal moeizaam, want ik kan je gewoon niets vertellen. Je begrijpt alles wat je hoort, en ik kan je toch niet de verhalen vertellen over Peter en Nele en daarmee je hart breken. Dus lees ik je de sportpagina's voor of masseer je handen. Ik merk heel goed dat je dat te weinig vindt, want je kijkt naar de kastanje, zoals altijd als het je niet interesseert. Pas als ik iets zeg wat je leuk vindt, kijk je me aan met je wiebelende hoofd. En soms zit je erbij te grijnzen. Deze keer verveelde het je allemaal. Mij ook, ik geef het toe, dus besloot ik om je een stukje rond te rijden. Ik duwde je weg bij het raam en ging de gang op. Weg uit de kamer die je al maanden niet meer hebt verlaten, Max. Ik reed je door de gang, we gingen met de lift naar alle mogelijke verdiepingen, keken her en der uit het raam en uiteindelijk bracht ik je weer terug. Ik zette je op je plek en ging op de vensterbank zitten. Toen wiebelde je je hoofd naar me toe en greep mijn hand. Je kneep er behoorlijk hard in, Max. Ik denk dat je het leuk vond.

Zondag belden mijn ouders en ik vertelde mijn vader wat ik met de jouwe had beleefd. Ik zei dat je vader maar beter kon blijven waar hij was, want met zijn gedrag deed hij jou meer kwaad dan goed. Mijn vader was er kapot van en vond dat die hele geschiedenis, ook de scheiding van je ouders, nu wel heel ernstig was. Als gezin moest je elkaar bijstaan, vond hij. En hij was blij en dankbaar dat wij dat als gezin zo fantastisch deden. Tja. Hij vraagt trouwens niet meer naar de trombone en ik zeg natuurlijk ook niets, want ik wil geen slapende honden wakker maken.

Toen ik vandaag bij je binnenkwam had je weer fysiotherapie van die kerel met die koptelefoon. Ik heb een tijdje zitten kijken en moest toen hoognodig naar mijn werk. Maar ik kan je zeggen dat het er al veel beter uitziet dan de eerste keer, Max. Je wordt nog eens een echte turner.

Dinsdag, 19 december

Vandaag was Walrika eindelijk bij je om naar je te kijken. Daarna zat ze een uur bij die snor op zijn kamer en ik wachtte voor de deur. Ik liep te ijsberen, luisterde een paar keer tevergeefs aan de deur en eindelijk kwam Walrika naar buiten. Ze pakte me bij de arm en schudde haar hoofd. 'Het gaat niet, Niels,' zei ze. 'De dokter zou het onverantwoord vinden als wij Maxim opnemen. Hij moet naar een verpleeghuis dat op dit soort gevallen is ingesteld, weet je. Wij zijn dat niet.' Ik ging bij de snor naar binnen en vroeg wat verdomme zijn definitie van verantwoordelijkheid was. Ik zei dat hij de Rarevogels niet kende en het personeel daar al helemaal niet. Dat hij zich geen oordeel kon vormen omdat hij gewoon geen idee had. Als we het dan toch over verantwoordelijkheid hadden, moest hij die ook maar eens nemen. En dat hield in dat hij een keer bij de Rarevogels ging kijken. Hij liet me zoals altijd uitrazen en zei toen: 'Beste Niels, ik denk echt dat wij twee compleet verschillende interpretaties van verantwoordelijkheid hebben. Als ik eraan denk hoe jij een paar dagen geleden je vriend door de gangen hebt geduwd, zonder afspraak of toestemming, en zonder ons zelfs maar even te laten weten wat je van plan was. Je hebt hem totaal onbeschermd naar plekken gebracht waar het tocht, omdat er telkens deuren open- en dichtgaan. Waar het wemelt van de bacteriën. Juist daar heb je hem naartoe gebracht, jouw vriend, voor wie het kleinste zuchtje wind fataal kan zijn, jongeman. En dan heb ik het nog niet eens over het feit dat je hem vlak daarvoor bijna ten prooi had laten vallen aan de vlammen, hè? Laten we het een andere keer over verantwoordelijkheid hebben, Niels. En denk er tot die tijd maar eens over na.'

Ik wist niet meer wat ik moest zeggen. Dat maakte ook niet uit, want hij duwde me naar de deur. Op een of andere manier liep het allemaal niet zoals ik me had voorgesteld.

En toen zag ik onderweg naar de Rarevogels (Walrika en ik waren met de oude ziekenauto) ook nog Nele en Peter. Ze liepen innig gearmd op de stoep en Nele had haar hoofd op Peters schouder gelegd. Ze duwden de kinderwagen en ik reed er stapvoets langs. Zo traag dat de auto achter me begon te toeteren. Ik denk dat ze me zagen, Max. Later op het balkon vertelde ik Walrika over Nele en Peter, maar deze keer had ook zij geen goede raad. Zoals niemand.

Woensdag, 20 december

Beste Maxim,
Ik zit bij de Rarevogels, het is ver na middernacht, ik heb een miljoen gedachten en het voelt alsof mijn hoofd elk moment uit elkaar kan barsten. Ik moet steeds denken aan wat die snor zei, over verantwoordelijkheid en zo. Waarschijnlijk heeft hij weer eens gelijk en heb ik je in-

derdaad in groot gevaar gebracht. Maar jij weet misschien wel het beste dat ik dat nooit zou willen. Ik ben juist blij met elk stapje dat je richting leven zet. Als je je wiebelende hoofd naar me toe draait of in mijn handen knijpt, kan ik wel huilen, Max. Voor geen goud zou ik jou in gevaar willen brengen. Ik ruk nog liever mijn hart uit. Ik heb gewoon niet aan de tocht in de gangen gedacht, en al helemaal niet aan die stomme bacteriën. Ik wilde je alleen een fijne middag bezorgen en daarmee had ik je kunnen doden. Dat is onvergeeflijk. En dan nog die stomme adventskrans. Net daarvoor stond ik nog belangrijk te doen in de personeelskamer, dat ze op moesten letten dat niet het hele ziekenhuis affikte en zo. Daarna ging ik weg en liet je rustig alleen met die brandende kaarsen. Dat kwam door de ontmoeting met je vader. Niet dat ik de verantwoordelijkheid wil afschuiven, Max. Maar wat hij zei maakte me woedend. Dat je zoiets kunt zeggen over iemand van wie je houdt. Onbegrijpelijk. Hij trekt zich helemaal terug, weg van jou, van je moeder en van het leven dat hij ooit leidde. Dat heeft toch ook met verantwoordelijkheid te maken? Je kunt er niet zomaar vandoor gaan als het tegenzit.

Dat geldt ook voor onze vrienden, Max. Ze willen geen van allen nog naar je toe komen, want ze hebben er genoeg van je zo te zien. Waarschijnlijk is het bij je vader niet anders, hij kan het gewoon niet meer aanzien. En dus blijven ze liever weg, dan hoeven ze niet meer naar je te kijken en kunnen ze onbezorgd doorgaan met hun gewone leventje. Wat denken ze wel? Dat er iets verandert als ze zich de aanblik besparen? Onder het motto: wat niet weet, wat niet deert? Gaat het beter met ze als ze bij je wegblijven? Wat denk jij, Max? Dan vraag je je wel af waarom ze allemaal superchagrijnig zijn. Altijd. Wie ik ook tegenkom, iedereen is chagrijnig en somber. Absoluut niet onbezorgd. Ze proberen alles te verdringen om onbezorgd te kunnen zijn en bereiken precies het tegenovergestelde. Het drukt op hun geweten. En een slecht geweten maakt chagrijnig. Zo sukkelen ze allemaal met hangend hoofd en een rothumeur door het leven, maar het belangrijkste is dat ze hun ogen kunnen sluiten voor jou. Nou ja, dat zijn zomaar mijn gedachten, Max.

Het is bijna kerst en misschien maakt die sfeer me een beetje gedeprimeerd, het zou kunnen.

O ja, Flori belde op om Walrika en mij uit te nodigen om tweede kerstdag naar het meer te komen. Meneer Stemmerle komt ook en het moet een gezellig dinertje worden. Ik denk dat het wel goed is als ik er eens uit ben.

Zondag, 24 december

Vrolijk kerstfeest, beste Maxim. Het is even voor zessen en ik schrijf je nog snel een paar regels voor ik naar de Rarevogels ga. Ik heb de bewoners beloofd een paar kerstliedjes te spelen op de trombone en er is punch en kerstbrood. Daarna ga ik mijn ouders bellen en dan ga ik naar Sullivan's, net als vorige jaren. Ik ben heel benieuwd wie er zullen zijn, want ik heb al dagen niets meer gehoord van Justin en Rick. Nele en Peter zijn er in elk geval niet, want die liggen met een zware griep in bed. Vandaag liep ik in je kamer je glimlachende moeder tegen het lijf, en die vertelde me dat, terwijl ze zielsgelukkig met de kleine Mila in haar armen stond. Ze verzorgt Mila zolang Nele in bed ligt. Ja, Onze-Lieve-Heer zorgt voor ons allemaal!

Jij zat in de rolstoel naar die kleine te kijken. Geen blik op de kastanje of op de muur, geen moment. Je kon je ogen niet van je dochter afhouden, zelfs niet toen ik binnenkwam. Maar je pakte mijn hand, Max. Je kneep in mijn hand, heel stevig, en je blik rustte op het slapende kind op je moeders schoot. Zo zaten we een poosje heel stil en uit het radiootje klonk kerstmuziek. Je moeder streek een paar keer over mijn wangen en voordat ik in mijn mouw zou gaan snotteren ben ik weggegaan. Ik was heel ontroerd, Max, en ik wil je bedanken voor die momenten.

Maandag, 25 december

Ik was gisteren natuurlijk bij de Rarevogels en heb zoals beloofd trombone gespeeld. Ik stond voor de kerstboom en trakteerde de bewoners bij de punch en het kerstbrood op muziek. Jammer genoeg raakte ik weer een beetje de weg kwijt zodat die brave kerstliedjes nogal jazzy klonken. Maar blijkbaar vond niemand dat een probleem, want na afloop kreeg ik een lang applaus. De boer van de Natuurhoeve was er ook. Hij had een paar emmers roomkaas bij zich en zelfgemaakte koekjes. Hij sloeg me op mijn schouders en zei: 'Hou jij het nou maar bij jazz, knul!'

Daarna gaf Walrika me een cadeautje, en dat was niet misselijk, Max. Het was een contract voor onbepaalde tijd, ondertekend door het bestuur van het tehuis en de commissie van donateurs, met prachtige voorwaarden en een goed salaris. Alleen mijn handtekening ontbrak nog. Maar het mooist was de bijlage. Daarin had namelijk iedereen van de Rarevogels in een paar regels geschreven waarom ik absoluut moest blijven na mijn vervangende dienstplicht. Mevrouw Obermeier schreef bijvoorbeeld: 'Beste Niels, ik wil graag dat je bij de Rarevogels blijft omdat je de lekkerste boterhammen smeert.' Een ander schreef dat ik zo mooi trombone speelde en weer een ander dat ik die ouwe linnenkamer eindelijk een spannend geheim had gegeven. Dat ging zo regel na regel door, iedereen kwam aan het woord. Walrika als laatste, en die schreef: 'Beste Niels, ik wil graag dat je blijft, want ik mag je gewoon. In godsnaam en verdorie nog aan toe!' Daar was ik wel heel blij om. En trots op, Maxim. Ik bedankte iedereen en speelde nog een serenade voor ik wegging.

Thuis belde ik mijn ouders, en mijn moeder zei dat ze het ontzettend jammer vond dat ik geen kerstboom had. En dat het helemaal geen gedoe gaf met die handige kunstbomen van tegenwoordig. Die hoefde je alleen maar als een paraplu open te klappen. Dit jaar had ze de kunststof ballen vervangen door strooien sterren en glazen ballen, en daardoor zag je niet eens meer dat het een kunstboom was. Volgens mijn vader ziet de boom er waardeloos uit, maar dat doet er niet toe, want kerst bij vijfentwintig graden is altijd waardeloos.

Ik heb ook met Michel gebeld, best lang zelfs. Ik moet je natuurlijk de hartelijke groeten doen van iedereen en ze hopen dat je verder vooruitgaat, Max.

Daarna ging ik naar Sullivan's, het was erg druk en veel mensen hadden een rode kerstmuts op, met sterren die gaaf knipperden. Ik was blij dat Rick en Justin er waren. Op de bar stond een kerstman van plastic die steeds als iemand een biertje bestelde 'Jingle bells' speelde, bijna aan één stuk door dus. De barkeeper bood een buffet aan, natuurlijk van partyservice Brenninger, en Justin zelf droeg zijn petje en een T-shirt van de zaak. We hebben zitten kletsen over de afgelopen dagen en ik vertelde ook dat verhaal over je vader. Ze vonden het allebei ontzettend klote. Toen zei ik dat ik het ook ontzettend klote vond dat zij zich geen haar beter gedroegen. Maar dat vonden zij iets heel anders, zij waren tenslotte niet je vader. Daar kwamen ze goed mee weg, dachten ze. Maar toen had ik ze waar ik ze hebben wilde. Ik vertelde hoe je vooruitging en dat we door de gangen zijn gereden en dat je hoofd bijna niet meer wiebelt en jij mijn handen kunt pakken. Dat heb ik ze allemaal verteld, Max. En toen zei ik: 'Hij zou waarschijnlijk nog veel verder zijn als jullie ook eens moeite deden om hem te steunen, verdomme. Denken jullie dat Maxim niet doorheeft dat jullie niet meer in hem geloven? Dat er eigenlijk helemaal niemand meer in hem gelooft?'

Toen kwam de barkeeper zeggen dat ik moest ophouden met schreeuwen. Het was tenslotte kerst en dan moest het er een beetje vredig aan toegaan.

Daarna zeiden we een tijdje helemaal niets. We zaten alleen bier te drinken. Tot Justin opmerkte dat we je op kerstavond niet aan je lot mochten overlaten. We moesten naar je toe gaan. En dat deden we. We lieten ons bier staan en gingen naar je toe, Max. We meldden ons in de personeelskamer en gingen daarna bij je naar binnen.

Iemand had lampjes boven je bed gehangen en je lag

met grote ogen te kijken naar de kleurige lichtjes. Uit je radio klonk zachtjes kerstmuziek. Toen draaide je langzaam je hoofd naar de deur en begon te lachen, Max. Je lachte, echt met geluid. Het was helemaal niet mooi om te horen, een beetje kirrend of hikkend, en toch klonk het als muziek in mijn oren. We gingen op de rand van je bed zitten en vertelden je alle mogelijke verhalen, en jij keek hikkend van het ene gezicht naar het andere. De bonte kleuren van de lampjes schilderden wonderlijke schaduwen op je bleke gezicht, uit je mond kwamen wonderlijke geluiden en wij vertelden wonderlijke verhalen. En jij was blij. Op een gegeven moment vielen we in slaap. En toen de verpleegster 's ochtends je kamer in kwam en zei: 'Zijn je vrienden er nu nog steeds, Maxim?', knikte je.

Woensdag, 27 december

Ik ben net terug van de Starnberger See en ga je daar nu verslag van doen. Gistermiddag zijn Walrika en ik naar Flori gegaan en we werden heel hartelijk door hem ontvangen. Allereerst kregen we een rondleiding door de tuin, die al mijn verwachtingen weer eens overtrof. Daarna wees hij ons onze kamers, die net als alles in het huis gewoon eersteklas zijn. Flori zei bijna geen woord, maar je kon aan zijn hele doen en laten merken dat het goed met hem gaat. Meneer Stemmerle was er ook en had de hele avond voor ons vrijgemaakt. En ook Marina was er. Ze zag er ontzettend mooi uit in haar zwarte jurk en was in een heel goed humeur. Zij en haar dochter hadden allemaal lekkere dingen gekookt, drie gangen met wijn erbij en fruit toe.

Na het eten liepen we met een paar fakkels door de besneeuwde tuin naar het meer en hielden een minuut stilte voor Jasmin en mevrouw Stemmerle. Meneer Stemmerle stak twee drijfkaarsen aan en zette ze op het water. Ze dreven heel langzaam weg en verdwenen uiteindelijk in de nacht. Daarna was er koffie met koekjes bij de open haard, en dure cognac. Walrika ging algauw naar bed, want om vier uur 's ochtends is het weer tijd voor haar gebed. De anderen bleven nog een poosje zitten en Zina vertelde dat ze bij een paar mensen in de buurt schoonmaakte en dat daar vrij snel bekend was geworden dat Flori van die groene vingers had. Daar konden ze nu heel goed van leven. Meneer Stemmerle zei dat hij blij was dat zijn ouderlijk huis weer waardige bewoners had. Ze mochten er blijven wonen tot zijn dochter zelf plannen had. Toen gingen ook de anderen naar bed. Alleen Marina en ik bleven zitten. En na een supergeile nacht werd ik 's ochtends naast haar wakker. Ik denk dat ik op rijpere vrouwen val, Max. Nou ja. In elk geval was dit uitstapje in alle opzichten geslaagd en zeker voor herhaling vatbaar.

Vrijdag, 29 december

Dag Maxim,
Vandaag hebben we met z'n tweeën weer een leuk zwerftochtje door de opwindende gangen van het ziekenhuis gemaakt, of niet soms? Deze keer had ik vooraf alles haarfijn gepland en eerst officieel toestemming gekregen van dokter Klaus Snor, nadat ik had beloofd al zijn instructies op te volgen. Wat ik natuurlijk ook deed. Dus trok ik je een

jasje en een broek van groen plastic aan, die de verpleegsters uit de operatiekamer hadden gehaald. Je mondkapje had dezelfde kleur, je bril kwam ook uit de operatiekamer en je droeg een petje van partyservice Brenninger. Verder had je de sjaal om van mevrouw Stemmerle en de wollen handschoenen van Bonsai aan. Het was perfect. Jij zat in de rolstoel en ik reed je door de gangen. De verpleegsters maakten een foto van ons.

We gingen met de lift naar boven en naar beneden en stonden voor wel honderd ramen. We zagen hoe het buiten donker werd en de straatverlichting aanging. We zagen haastige mensen met hoog opgeslagen kragen, en auto's die stopten voor rood licht en daarna weer verder reden. We zagen gillende kinderen aan de hand van geïrriteerde moeders, en zakenlui met aktetassen. We zagen knipperende lichtreclames en her en der feestverlichting. Alles wat gewoon is en voortdurend gebeurt. Maar jij drukte je neus tegen de ruit, die besloeg door je adem. Je zoog alles in je op wat je al maanden niet meer had gezien. En toen ik je later uit je apenpakkie pelde, viel je meteen in slaap. Ik legde je in bed en dekte je toe. Dat was een opwindend avontuur vandaag, hè Max?

Zondag, 31 december

Beste vriend,
Vandaag is de laatste dag van het jaar. Het was een moeilijk, maar ook een mooi jaar. In elk geval het ongewoonste jaar dat we ooit hebben meegemaakt. En eerlijk gezegd

166

mag de toekomst wat mij betreft weer wat gewoner worden. De dagelijkse sleur mag wel terugkeren in ons leven, de sleur die ons zo vaak verveelde maar waar ik nu naar uitkijk. Ik wil van de zomer weer stenen met je keilen bij het grindgat en honderd keer vragen: 'Wat zullen we nu gaan doen?' Ik wil van de winter met je naar het ijshockey en na een verpletterende nederlaag heel veel bier drinken. En dan elke actie afbranden en de hele wedstrijd kapot analyseren. Ik wil dat je weer bij me op de bank zit en er gaten in brandt. Ik wil me daar weer over opwinden en jouw sussende grijns zien. Maar je bent op de goede weg, Max.

Toen ik gisteren bij je binnenkwam was je moeder er met de kleine Mila. Je moeder vertelde dat je vanaf januari een logopedist krijgt. Die gaat eindeloos spreekoefeningen met je doen. Daarna kun je me alles vertellen, Max, zeker weten. Alles wat je hebt gezien door dat piepkleine spleetje van je ogen. En wat je hebt gehoord toen we allemaal bij je waren. Of wat je voelde toen er niemand meer bij je was, omdat iedereen er genoeg van had naar je wiebelende hoofd te kijken. Dat kun je me allemaal vertellen en ik zal elke seconde naar je luisteren, ik zweer het. Ik zal aan je lippen hangen en uitkijken naar je allereerste woorden. Uitkijken naar je allereerste stappen, zoals een moeder bij haar kind. Ik verheug me op het jaar dat voor de deur staat, Max. Echt.

Was nog even bij je en de verpleegsters zeiden dat je vanavond een slaapmiddel krijgt, net als alle andere patiënten die rust nodig hebben. Zodat jullie vannacht niet schrikken van dat stomme geknal. Nu moet ik er langzamerhand vandoor. Daarnet heb ik een laatste keer mijn tekst doorgenomen, het zijn tenslotte niet minder dan vijf rollen die ik moet spelen. Walrika heeft er maar één en mag ook nog eens blijven zitten, ik moet het hele stuk door staan. Ik heb gevraagd of ze wilde ruilen, maar ze heeft de grootste moeite om als admiraal von Schneider haar hakken tegen elkaar te slaan. Nou ja. Ik ga nu dus weg en meld me in het nieuwe jaar weer. Dat wordt ons jaar, Max!

Maandag, 1 januari

Gelukkig nieuwjaar, Maxim. Gisteren heb ik al mijn wensen voor jou al opgeschreven, en daar is niets aan veranderd. Het is nu bijna half elf 's ochtends en ik zal vertellen wat ik de afgelopen uren allemaal heb gedaan. Gisteren ging ik dus naar de Rarevogels en daar verkleedde ik me als butler James. Ik trok het rokkostuum aan en zette die stomme pruik op. Walrika was al klaar en had over haar habijt (waaraan ze verslaafd is) een ouderwetse avondjurk aan. Van het habijt was niets meer te zien, maar Walrika leek ontzettend dik. Haar sluier had ze wel afgedaan en in plaats daarvan droeg ze een pruik, die helemaal paste bij Miss Sophie. Toch zag ze er bezopen uit. Ik natuurlijk ook. En toen het dan eindelijk begon en wij van de eerste verdieping de trap afkwamen, begonnen de bewoners zo hard te lachen dat we moesten wachten met de voorstelling. We stonden er een tijdje nogal sullig bij, waar het publiek absoluut niet rustiger van werd. Maar op een gegeven moment konden we dan toch eindelijk beginnen, en ik moet zeggen dat we het geweldig deden. Het ging allemaal van een leien dakje, Walrika speelde haar rol fantastisch en ik denk dat Freddie Frinton trots op me zou zijn geweest. We kregen heel lang applaus, maar hebben het geroep om een toegift genegeerd.

Daarna was er goulashsoep en moutbier en om twaalf uur vuurwerk, waarbij onze dierbare zuster Walrika bijna in vlammen was opgegaan. Ze wilde dat stomme vuurwerk namelijk per se zelf afsteken en stoof in haar wapperende habijt van de ene vuurpijl naar de andere. Het onvermijdelijke gebeurde, maar we konden haar vrij snel blussen. Daarna was er nog kinderchampagne die zo geel was als pis, maar wel heel mooi bubbelde. Walrika ging de mensen af in haar walmende habijt en proostte met iedereen. Daarna gingen ze allemaal naar bed, het was ook allang bedtijd.

Ik ging naar Sullivan's. Daar was natuurlijk een groot feest aan de gang, met een liveband en alles, en er waren zoveel mensen dat ik zo een-twee-drie niemand kon vinden. Pas toen ik een paar keer had rondgekeken, zag ik Rick. Hij stond ergens in een hoekje achteraf met een biertje in zijn hand. Waarschijnlijk stond ik hem nogal aan te staren, want hij zei dat ik niet zo moest staren. Maar hij had geen haar meer op zijn hoofd en ook niet op zijn kin. Zijn hele kop was kaal en hij was in de verste verte geen Jezus Christus meer. Gekkenhuis! Dat hij altijd alles zo moet overdrijven. Als je het doet, moet je het goed doen, zei hij. En als hij dan toch het leger in moet, dan maar meteen zo.

Later op de avond kreeg hij een dip en wilde hij dat hij zijn haar nog had. Hij zei dat hij er een eind aan zou maken zo gauw ze hem een schietijzer in handen drukken. En dat hij dat al bij de keuring had gezegd, maar dat het geen hond iets interesseerde. Graag had ik bemoedigend door zijn haar gewoeld, maar dat had hij jammer genoeg niet en ik had echt geen zin om over zijn kale kop te wrijven. We kwamen veel bekenden tegen en ze vroegen allemaal naar jou, Max.

Op een gegeven moment kwam Justin uitgeput en zweterig binnen. Hij klokte eerst een biertje weg en vertelde toen dat hij de hele avond onafgebroken hapjes had bezorgd bij alle feesten in de omgeving. Hij sloeg meteen nog een biertje achterover en daarna nog een en zat vrij snel op ons niveau. Net daarvoor had hij bij een bestelling de geile vrouw van een klant in hun keuken geneukt, vertelde hij. Daarna had hij het buffet verder opgebouwd en een dikke fooi van de klant gekregen. Daar had hij ontzettend veel lol om, die Justin. 'Die snobs denken altijd dat ze beter zijn,' zei hij. 'En nu heb ik zijn vrouw geneukt en aan het eind stond hij met haar in de deuropening met zijn hand op haar reet en gaf zij me een knipoog. Dat is toch geweldig, of niet?' Ja, voor Justin was de avond gcred. En voor Rick was de avond voorbij. We dronken nog een paar biertjes en hebben er op een gegeven moment een punt achter gezet.

Later was ik nog even bij je, Max, maar je sliep als een roos. Ja, die middeltjes hadden hun werk gedaan. Het was al licht toen ik thuiskwam, en ik belde eerst mijn ouders. Na wat geklets vertelde ik dat het goed met je gaat en dat je vooruitgaat. Mijn moeder vertelde dat ze net met jouw moeder had gebeld, en die stond als een gek te hoesten aan de telefoon en was heel snotterig. Ze had vast een verkoudheid onder de leden.

Daarna belde ik Michel en we vertelden elkaar over de

afgelopen dagen. We besloten om elkaar dit jaar een keer op te zoeken, we zullen wel zien of dat lukt. Hij is ook heel blij dat het beter met je gaat en doet je natuurlijk de groeten. Zo, genoeg voor dit moment. Ik ga nu naar bed en kom vanavond naar je toe.

's Nachts. Meteen toen ik ging liggen begonnen de gedachten door mijn hoofd te spoken, zoals dat gaat voor je in slaap valt. En toen bedacht ik het opeens, Max. Je moeder heeft griep! Die vuile griep die Peter en Nele al dagenlang aan het bed kluistert, met koortsaanvallen en koude rillingen, voortdurend overgeven en diarree. Jezus, Max! Ze is heel vaak bij Nele geweest vanwege het kind. Toen is ze vast en zeker aangestoken. En eergisteren zat ze op de rand van je bed met al haar bacteriën en heeft ze jou misschien wel aangestoken. Dit ging allemaal in een paar seconden door mijn hoofd en ik raakte volledig in paniek. Ik sprong uit bed, trok snel mijn kleren aan en fietste naar het ziekenhuis. Natuurlijk rammelde ik vergeefs aan de deur van die snor, want ik was verdomme vergeten dat het een feestdag was. Uiteindelijk rende ik buiten adem en doodsbang naar de personeelskamer en vertelde daar wat ik had bedacht. De verpleegster reageerde meteen. Ze greep de telefoon en trof die snor gelukkig thuis. Hij kwam onmiddellijk naar het ziekenhuis en we gingen direct naar zijn werkkamer. Toen ik had verteld waar ik bang voor was zei hij dat de situatie ernstig was. Heel ernstig zelfs. Eerst moesten we een dokter naar je moeder sturen. Die is er zo achter of het echt griep is of gewoon een verkoudheid, wat ook niet goed zou zijn, maar in elk geval beter. Zodra we dat weten, kunnen we iets doen. Tot die tijd mag er niemand bij je naar binnen.

Waar ik bang voor was is gebeurd, Max. Het is die vuile griep, die je moeder geveld heeft. Het onderzoek heeft het duidelijk uitgewezen. Nu is het afwachten, man. Alweer. Natuurlijk mag er niemand bij je naar binnen en ze hebben je in een plastic tent gelegd zodat er verder geen bacteriën of virussen bij je kunnen komen. Ik kan je niet meer zien en niet eens contact met je maken door het raampje in de deur. Die snor zegt dat je tot nu toe geen symptomen hebt, maar pas over twee tot drie dagen hebben we zekerheid. Tot die tijd is het afwachten geblazen.

Je vader is gekomen en zorgt nu voor zijn vrouw en Mila. Dat doet hij heel goed. Ik ben bij hem op bezoek geweest en hij had het meisje op de arm. Met je moeder gaat het echt beroerd. Ze heeft hoge koorts en koude rillingen en is soms niet eens aanspreekbaar. Nele is ook nog heel zwak, maar kan tenminste een paar uurtjes per dag het kind van je vader overnemen. De dokter zei dat Mila geen gevaar loopt voor besmetting, want haar immuunsysteem laat dit soort ziekten nog helemaal niet toe. Dat is mooi. Over Peter weet ik niets, want op een of andere manier praat niemand over hem. Rick zit nu in het leger en belt elke dag om de laatste stand van zaken te horen. Ook met Michel heb ik doorlopend contact, wat me helpt om de tijd door te komen. Ik word gek van dit wachten, Max. Daar komt nog bij dat ik vakantie heb en de uurtjes bij de Rarevogels gewoon mis. Dus ga ik er elke dag even naartoe om een sigaretje te roken met Walrika en mijn hart bij haar uit te storten. Ze is een grote steun, hoewel ik haar advies om te bidden niet zo nuttig vind. Maar als niets meer helpt, zegt ze, helpen gebeden. Nou ja. Ik heb het belangrijkste opgeschreven, maar eigenlijk een beetje uit de losse pols, Max. Ik heb geen zin om te schrijven. Ik heb er geen zin in omdat ik je niet kan zien. En als ik je niet kan zien weet ik ook niet wat ik tegen je moet zeggen. En daarom weet ik ook niet wat ik je moet schrijven. Dus stop ik hier.

Maandag, 8 januari

Maxim, beste vriend,
Ik schrijf vanuit je kamer. Ik zit op de vensterbank en verlies je bijna niet uit het oog. Even een blik op de oude kastanje, even een paar regels op papier. Verder rusten mijn ogen op jou en waak ik over elke ademhaling van je. Van tijd tot tijd zuig ik het slijm uit je keel, zodat je niet stikt. De verpleegsters komen regelmatig en ook die snor is heel zorgzaam. Hij wilde me niet bij je naar binnen laten. Hij wilde niemand bij je naar binnen laten. Toen zei ik: 'Maxim ligt daar maar met die vuile griep en er is niemand die zijn hand vasthoudt. Ik ben zo gezond als een vis en ga nu naar binnen.' Die snor zei dat ik niet naar binnen kon omdat jij mij anders zou kunnen aansteken. Omdat jij mij zou kunnen aansteken! Ik vroeg of hij niet goed snik was, deed een mondkapje voor en ging naar binnen. En daar zit ik nu je hand vast te houden. Zoals het hoort. En zoals jij ook voor mij zou doen, hè Max? We zullen het wel redden, man. We hebben toch niet bijna een jaar tegen de gevolgen van je ongeluk gevochten om je uiteindelijk door een stomme griep te laten vermoorden?

173

Het gaat niet goed met je, Max. Eerlijk gezegd gaat het klote. Je magere lijf kronkelt van de krampen, je moet steeds overgeven tot er alleen nog gal uit komt en je koortsige ogen kijken dankbaar als ik je slijm wegzuig. Het is verschrikkelijk. Je vrienden zitten voor je kamer op de gang, Max. Ze zijn er allemaal en houden elkaars hand vast. Nele is er met jullie kind en Peter. Je vader is er, je moeder niet, ze is nog te zwak. Zelfs Rick zit in zijn camouflagepak en met zijn kale kop voor de deur. Justin komt met zijn pet en T-shirt van de firma tussen alle bestellingen door hapjes brengen. Ze zitten er allemaal, houden elkaars hand vast of slaan een arm om elkaar heen – en zwijgen. Af en toe kijk ik door het raampje en dan schieten de tranen in mijn ogen. Dan moet ik terug naar jou omdat je weer reutelt of ineenkrimpt. Maar ik ben bij je en we gaan het redden, Max.

Woensdag, 10 januari

Vandaag kwam de marechaussee Rick halen, Max. Gek, maar niemand van ons was opgevallen dat hij hier eigenlijk helemaal niet mocht zijn. Dat hij allang terug had gemoeten naar de kazerne. Maar ze hebben hem uiteindelijk gevonden en opgehaald. Rick schreeuwde en schopte om zich heen en riep dat hij ze zou neerknallen. Allemaal. Maar dat hielp niets. Ze voerden hem met handboeien af, als een misdadiger, en hij schreeuwde door de gang: 'Zeg tegen Maxim dat ik terugkom, Niels! Zeg dat tegen

Maxim!' En ik zei het tegen je. Maar je reageerde natuurlijk niet.

Je bent niet aanspreekbaar en doet je rode ogen niet eens een klein stukje open om me dankbaar aan te kijken met je koortsige blik. Helemaal niets. Er gebeurt helemaal niets. Je reutelt en ik kijk naar je. De oude kastanje staat zonder enige versiering trots en krachtig voor je raam. En jij ligt daar maar te reutelen. Ik knijp in je handen en praat met je. En jij kunt niet eens terugknijpen. Ik ben moe en koud en ik heb gewoon geen kracht meer, Max.

Later. Ik ben in slaap gevallen op je vensterbank. Ik had een rare droom: ik zit in een bus op een van de achterste rijen en kijk door het zijraam. Behalve ik zitten er geen passagiers in de bus, alleen de chauffeur en waarschijnlijk de reisleider, die plaats is in elk geval bezet. Ik kan hun gezichten natuurlijk niet zien, want ze zitten met hun rug naar me toe. Ik kijk door het raam en we rijden door een besneeuwd boslandschap. Het is mooi. Na een poosje merk ik dat we langzaam tempo maken en uiteindelijk gaan we heel hard. Besneeuwde boomtakken schuren langs de bus en de sneeuw stuift alle kanten op. De weg is smal en bochtig en waarschijnlijk spekglad. Toch gaat het harder en harder, en plotseling zegt iemand: 'Hij moet langzamer rijden.' Zo dacht ik er ook over. Ik kijk naar de chauffeur.

'Hij moet verdomme langzamer rijden!' Dan draaien de twee hoofden voorin naar me toe (ze hebben geen gezicht) en ik zie dat het stuur niet op de plek zit waar het zou moeten zitten. 'Rij verdomme nou eindelijk eens wat langzamer!' schreeuwt de buschauffeur naar mij. En opeens begrijp ik dat ik de chauffeur ben. Ik heb het stuur in mijn handen en mijn voet drukt zwaar op het gaspedaal. Ik kan niet door de voorruit kijken en heb geen idee hoe de weg loopt. Ik zie alleen wat door het zijraam, waar de boomtakken langs krassen. Dan word ik wakker.

Donderdag, 11 januari

Ik zit weer op de rand van je bed en jij ligt te slapen. Ik zou graag naast je gaan liggen, Max, want soms weet ik niet meer hoe ik mijn ogen moet openhouden. Op een gegeven moment val ik op de vensterbank in slaap, maar nooit voor lang, want je gereutel wekt me. Dan zuig ik het slijm weg en val jij weer in slaap. Soms heb je ook krampen en moet je kotsen. Je koorts is zo hoog dat ik me haast niet kan voorstellen dat je het overleeft. En er is geen middel dat helpt. Die snor kwam net vragen of ik even kwam praten, Max. Ik ga straks naar hem toe, zo gauw een van de verpleegsters tijd heeft om een poosje op je te letten.

Later. Ik ben bij die snor geweest en heb het koud. Het is gewoon een enorme klootzak, Max. Wat een ongevoeligheid, onverschilligheid, arrogantie en weet ik wat nog meer. Zoals hij daar zit achter dat enorme bureau en over zijn bril kijkt terwijl hij met me praat, aan zijn stomme snor draait en alleen maar onzin uitkraamt. Hij zei: 'Laat het los, Niels. Je moet Maxim laten gaan. Je moet hem zelf laten beslissen of hij op deze wereld wil blijven of niet. Dwing hem niet om vanwege jou hier te blijven als hij dat niet wil. Tegen z'n ouders heb ik weken geleden al gezegd dat zijn toestand niet veel beter zou worden dan nu. Hij zal zijn leven lang in een rolstoel zitten en in handen knijpen. En dat is het. Veel meer is niet mogelijk. Zijn ouders konden dat idee natuurlijk niet verdragen en wilden fysiotherapie en een logopedist, enzovoort. Dat is allemaal geen probleem, Niels. Dat kunnen ze krijgen. Maar het verandert niets, snap je? Zijn hersens zijn zo beschadigd dat hij blijft steken op het niveau van een tweejarige of zo. Zijn leven lang. En hij zal zijn leven lang vatbaar zijn voor elke verkoudheid of griep omdat zijn immuunsysteem niet meer werkt, snap je? Eigenlijk mag ik je dit allemaal niet eens vertellen, want je bent geen familie. Jij bent alleen een vriend, nietwaar? Dat zijn jouw woorden, Niels. Ik vertel het je omdat Maxim allang dood zou zijn als jij er niet was geweest. Je weet nu hoe het ervoor staat, ik had je graag iets anders verteld, neem dat van me aan. Maar ik kan het niet. Zo is het nu eenmaal.'

Ik zei dat hij zijn horrorsprookjes maar aan iemand anders moest vertellen. Niets kan mij bij je bed vandaan houden. Helemaal niets.

Nu zit ik dit op de vensterbank te schrijven. Ik kijk naar de oude kastanje, er ligt sneeuw op de takken. Hij heeft alles gezien van onze tijd hier, Max. Bloeide rood in het voorjaar en gaf schaduw in de zomer. Verloor zijn bladeren in de herfst en was daarna kaal, toonde waar het om gaat. Nu ligt er sneeuw op de takken en kan hij ons niet meer zien. Wil ons niet meer zien. Verbergt zich onder de sneeuw om zich de aanblik te besparen.

Zou die snor gelijk hebben? Wil je gaan en blijf je alleen omdat ik je niet loslaat? Ik haal de foto van onze eerste schooldag uit mijn broekzak. We staan allebei in de camera te grijnzen, met onze armen om elkaar heen. De scheur loopt precies door het midden van de foto en de helften zijn met plakband aan elkaar geplakt.

Maandag, 12 februari

Nu ben ik toch bij je bed vandaan gehaald, Max, en ik had het kunnen weten. De griep heeft me likkebaardend opgeëist en het was Walrika die het doorhad. Ze zocht me omdat ik niet meer kwam roken en heeft me uiteindelijk gevonden. Ze haalde me bij je weg en bracht me naar de Rarevogels. Daar legde ze me in het bed van Flori en verzorgde me. Zette thee, maakte koude kompressen en hield mijn hand vast. Ze zat net zo lang bij me tot ik in slaap viel. Toen ik na een poosje wakker werd zat jij op de rand van mijn bed, Max. Je zat op de rand van mijn bed, pakte mijn hand en liet hem op de deken ploffen.

'Wat doe jij hier, Max?' vroeg ik.

'Ik ben er omdat je me nodig hebt, Niels.'

'Ik heb je mijn hele leven nodig gehad.'

'En ik ben er een leven lang voor je geweest. Net als jij voor mij, Niels.'

'Wat wil je daarmee zeggen? Wat wil je daarmee zeggen, Max? Dat klinkt als een afscheid.'

'Je kent me goed, Niels. Ja, ik ga nu. Ik ga, maar ik wil je eerst nog bedanken. Omdat je mijn hele leven bij me bent geweest, Niels.'

'Als je nu gaat hoef je niet meer terug te komen, begrepen?'

'Ik ben niet van plan terug te komen.'

'Dat kun je niet maken, klootzak! Je mag me niet alleen laten! Niet na alles wat we samen hebben meegemaakt.'

'Je bent niet alleen, Niels. Je hebt geweldige mensen om je heen. Maar je moet het wel willen zien.'

'Ik red het niet zonder jou. Ik heb geen leven zonder jou, Max.'

'Jij hebt een leven, Niels, geloof me. Maar het mijne eindigt hier. En dat is echt klote. Dat zeg ik omdat we nog nooit tegen elkaar hebben gelogen. Waarom zouden we er nu dan mee beginnen?'

'Maar je gaat toch niet dood aan een griepje. Dat komt en dat gaat weer – klaar. Je hebt dat rotongeluk en die rotlongontsteking overleefd. En dan ga je dood aan een griepje! Ha, als dat geen grap is! Waarom nu, Max? Waarom ben je niet toen op het asfalt gestorven? Waarvoor was dit allemaal nodig? Ik zat bij je bed en was blij dat je vooruitging, elk stapje was een feest. Ik heb voor het raampje in je deur de nevelslierten staan te vervloeken en in je kamer naar die stomme kastanje zitten staren, 's zomers en 's winters. Ik heb je door de gangen geduwd en mijn leven voor je opgeschreven. Waarvoor, Max?'

'Ik kon nog niet weg, toen op het asfalt. Er was nog veel te doen, Niels. Ik kon jullie niet zomaar alleen laten met jullie verdriet. Dat gaf me de kracht voor deze ereronde. En daar ben ik blij om. Je zat op mijn bed en was blij dat ik vooruitging. Staarde naar de nevelslierten en die stomme kastanje. Je duwde me door de gangen en nam afscheid van me.'

'Ik heb geen afscheid van je genomen, klootzak! Ik heb mijn leven voor je opgeschreven, zodat je het kunt lezen als je terugkomt.'

'Lees die brieven, Niels. Je zult zien dat je ze ook voor jezelf hebt geschreven. Je zult beseffen dat jij een leven hebt en ik maar een deel daarvan ben. Je zult het zien, Niels, dat weet ik zeker. Ik ben heel dankbaar voor dit jaar. Het was een goed jaar, misschien wel ons beste. Ik had mijn vrienden om me heen en hoefde niet alleen te sterven op dat koude asfalt. En ik had mijn dochter een paar tellen. Ze lag op mijn borst en het was geweldig. Zij is geweldig! Vertel haar over me als het zover is, want jij kent me het beste, Niels. Nu kan ik gaan en jij moet het toelaten. Want ik zal bij je zijn waar je ook bent, Niels.'

Later zat Walrika op de rand van mijn bed, legde een koude doek op mijn voorhoofd en vroeg waarom ze moest oprotten. Ik had aan één stuk door geschreeuwd: 'Rot dan maar op, klootzak!' Ze veegde de tranen van mijn gloeiende gezicht en bleef bij me zitten tot ik weer in slaap viel.

Op een gegeven moment stonden mijn ouders in de kamer, op een afstandje zodat ze niet zouden worden aangestoken. Zij waren het die me vertelden dat je dood was, beste Max. Ze bleven staan waar ze stonden en riepen door de kamer dat je het niet had gered. Mijn hart brak toen ik hoorde dat ze je al hadden begraven. Ik was er niet bij op je allerlaatste pad. Dat ben je zonder me gegaan, Max.

Je hebt je gewoon uit de voeten gemaakt. Je hebt de enige kans gepakt die ik je bood. Ik vervloekte het jaar dat we nog hadden gekregen. Ik wou dat je op dat rotasfalt was gestorven. Dan zou ik veel minder pijn hebben. Ik maakte mezelf wijs dat ik dat jaar niet meer nodig had gehad, geen seconde ervan. Wat had dat jaar ons gebracht? Wat? We hebben gevochten en jammerlijk verloren. Het is om misselijk van te worden.

Maar op een gegeven moment was de griep achter de rug en begon ik de brieven te lezen. Ik las elke regel die ik voor je had opgeschreven en langzaam ging ik begrijpen dat ik de brieven ook voor mezelf had geschreven. Dat het geschrijf me had geholpen om niet gek te worden. Het gewone leven terug te vinden. De ups en downs, de hoop en de vrees, de pijn en het plezier. En de mensen die daarbij horen. Ik begreep dat ik een eigen leven had. En dat gaf de doorslag. Ik heb een eigen leven en jij bent maar een deel daarvan. Absoluut het belangrijkste, en toch maar een deel. En nu moet ik leren om het zonder jou klaar te spelen. Dat zal niet makkelijk worden, maar ik ga het redden. Ik zal leren om de bus te besturen, Max.

Een paar dagen geleden heb ik mijn opvolger wegwijs gemaakt bij de Rarevogels. Hij maakte dezelfde stomme fout als ik in het begin. Hij liep de kamer van Winfred in en zei: 'Dag Winnie!' Ik pakte hem meteen bij zijn kraag en waarschuwde hem dat hij de mensen hier met respect moest behandelen, want dat verdienen ze. Het was het enige wat ze nog aan waardigheid overhadden. Hij begreep het, eigenlijk is hij wel oké. Ik vroeg ook of hij een muziekinstrument bespeelde. Hij had blokfluit leren spelen op school. Nou ja.

Walrika was de laatste weken ontzettend belangrijk voor me. Ze luisterde naar me en deelde in mijn verdriet. Ze was er gewoon voor me. Maar ook andere mensen hebben liefdevol voor me gezorgd. Flori was er met de twee meiden, en Nele en Peter met het kind. Je ouders kwamen op bezoek en bleven niet op een afstandje staan, maar kwamen naar mijn bed en hielden me lang in hun armen. Rick kwam na zijn oneervolle ontslag uit het leger als eerste naar mij toe, Max. En Justin bezorgde hapjes voor alle Rarevogels. Mijn ouders kwamen nog een keer langs, vlak voordat ze terugvlogen, en ze vertelden dat jouw ouders een paar weken met ze meegingen om de gebeurtenissen te verwerken. Bijna elke dag belde ik met Michel en likten we elkaars wonden. Ik kreeg heel veel van de mensen in mijn leven, maar toch heb ik het meeste van jou gekregen. Jij bent mijn hart en mijn ziel en dat zul je altijd blijven. Ik dank God voor jouw vriendschap en vooral voor het afgelopen jaar. Het was een goed jaar, misschien wel ons beste. Ik ben blij en dankbaar dat je niet bent gestorven op dat koude asfalt, maar samen met mij nog een ereronde hebt gemaakt.

Als ik dit straks af heb, geef ik het aan je dochtertje, Max. In plaats van aan jou. Zij moet alles maar lezen als de tijd rijp is. Zij moet weten van onze vriendschap en liefde, Max. Zodat ze weet hoe fantastisch haar vader was, en wat voor geweldige vechter hij was.

Dan heb ik nog een moeilijke stap voor de boeg, want ik moet afscheid nemen van de Rarevogels. Maar ook dat ga ik redden. Ik ga niet naar je graf, dat kan ik nog niet. Misschien als ik terug ben. Eerst ga ik naar Nieuw-Zeeland, Max. Voor een paar weken of een jaar, wie zal het zeggen. Het ticket ligt klaar en de koffers zijn gepakt. Ik neem ook mijn zwemvliezen en snorkel mee. En de sjaal van mevrouw Stemmerle en de trombone. De foto met de scheur zit in mijn broekzak.

Dankjewel, beste Bianca,
ik vind het altijd heerlijk om te zien met wat voor ongelooflijk inlevingsvermogen jij je door mijn teksten beweegt. Je voelt haarfijn aan welke toon ik probeer te
treffen. Heel erg bedankt voor je fantastische werk!

Dank u wel, beste Rudolf Frankl,
het voelt voor mij als een ridderslag dat u mijn *Reservetijd*
zo waardeert. En het inspireert me heel erg om nog een
keer op zo'n schrijfreis te gaan.

Hartelijk dank!
Jullie
Rita Falk